COLLECTION
Pilotoramas

LA FANTASTIQUE ÉPOPÉE
DU FAR-WEST

TOME SECOND

LE premier tome de la "Fantastique Epopée du Far-West" campait le décor et contait les débuts de l'extraordinaire aventure humaine qui, en l'espace d'un siècle à peu près, fit d'une immensité semi-désertique de champs de pierrailles, de prairies et de forêts, grande comme la moitié d'un continent, le réservoir à blé, à viande, à pétrole, à minerai du plus grand pays du monde.

C'était l'histoire des premiers pionniers qui ouvrirent la brèche par où s'engouffrèrent les longs convois de chariots, ces pesants vaisseaux de la Prairie, tanguant au long de pistes peu sûres, qu'allaient suivre bientôt, les poseurs de rails et de fils télégraphiques.

Comme sur toutes les terres neuves et à prendre, où s'affrontent inévitablement anciens et nouveaux occupants, comme dans tous les pays sans foi ni loi, où rien n'est prévu pour réfréner les convoitises, les cupidités, les luttes d'intérêt, cette immense migration déchaîna une terrible explosion de violence.

Ce fut l'ère des sanglants affrontements avec les Indiens : Sioux, Apaches, Commanches, Nez-Percés, Cheyennes... L'époque où flambaient les ranches, et où l'air s'emplissait du fracas des fusillades et du hululement strident des guerriers rouges, ceinturés de scalps. L'époque où, dans les villes de bois, les colts les plus rapides faisaient la loi, et où l'on pendait sans procès, voleurs de chevaux ou de bétail.

C'est à l'histoire de ce bouillonnement, et de la grande pacification qui suivit, qu'est consacré ce deuxième tome de l'Epopée du Far-West. Comme le premier, il est dû pour le texte et la documentation à George Fronval, l'un des meilleurs spécialistes européens de l'Ouest et pour les dessins, au talent minutieux de Louis Murtin. Parce qu'il aborde la partie la plus violente, la plus pittoresque et la plus haute en couleurs de l'Histoire de l'Ouest, nul doute que ce second volume, ne connaisse un succès encore plus éclatant que celui qu'a rencontré le précédent.

J.-M. CHARLIER

GEORGE FRONVAL

LA FANTASTIQUE ÉPOPÉE DU FAR WEST

DESSINS DE MURTIN

DARGAUD ÉDITEUR

12, RUE BLAISE-PASCAL - 92 - NEUILLY/S/SEINE

TABLE DES MATIÈRES

Documentation photographique de George Fronval
Maquette et mise en page de Pierre Garinot

Dépôt légal 2e trimestre 1970 Nº 1320
Editeur Nº 452
Imprimé en France - Cité-Press - Paris

Des centaines de caravanes quittèrent les rives du Missouri, à Independence, pour s'aventurer sur les pistes.

VERS LES TERRES NOUVELLES

Independence fut, pendant longtemps, le point de départ des caravanes vers la Grande Aventure.

Le petit poste du début fit rapidement place à une localité plus importante, juchée au haut d'une colline au pied de laquelle coulait, indolent, le Missouri. Les maisons s'élevèrent sur un large plateau et chaque jour arrivaient de l'Est, de nouveaux pionniers. Certains, comprenant que c'était là un endroit propice pour s'adonner au commerce, n'allèrent pas plus avant et ouvrirent des boutiques et magasins à l'intention des voyageurs qui pouvaient compléter leurs provisions et leurs équipements de façon satisfaisante.

Il y avait à Independence un bureau abritant les services officiels de Washington, car pour être incorporé dans un convoi, il fallait se soumettre à certaines exigences. Ce bureau donnait à qui le désirait tous les renseignements nécessaires, la liste des objets indispensables, les réglements très stricts auxquels il importait de se conformer, non seulement sur la piste, mais dès le premier jour de la vie commune à Independence.

Les gens venus de la côte du Pacifique et aussi de la Nouvelle Orléans étaient tous des émigrants de la vieille Europe, ayant débarqué à New York ou à Boston; ils avaient fait le voyage jusqu'au Missouri en chariots, suivant des pistes tranquilles et peu dangereuses. Ceux venus du Sud, originaires de la Louisiane et en grande partie de descendance française, avaient remonté d'abord le Mississippi puis le Missouri sur un de ces pittoresques bateaux à aubes, à double cheminée et à fond plat qui les déposèrent sur la berge au pied de la colline, au " landing-shore ".

A Independence, les gens faisaient connaissance et se groupaient selon leurs affinités. Ce qui comptait surtout c'était la nationalité. En parlant la même langue, on se sentait moins perdu. La religion, elle aussi, avait son importance. Ainsi, des clans se formaient dès le départ. L'amitié se resserrait et au terme de la course on demeurait souvent ensemble pour former une nouvelle communauté. Ainsi naquirent des villes typiques, de caractère allemand par exemple, avec Bismark dans le Dakota du Nord, de caractère russe avec Petersburg en Idaho ou basque français et espagnol, avec Elko dans le Nevada.

A Independence, des associations se formaient ainsi. Ensemble on achetait le chariot Conestooga et les bêtes indispensables. Tout ce dont les pionniers avaient besoin pour le voyage et aussi pour les premiers temps sur les terres nouvelles, ils le trouvaient, à Independence avant leur départ. C'était leur seule possibilité de compléter le chargement de leurs voitures en se conformant au règlement affiché par les Autorités. Les prix, certes, étaient plus élevés qu'à New York ou Philadelphie, mais beaucoup d'entre eux ignoraient jusqu'alors les obligations auxquelles ils devaient se soumettre. Quiconque ne sera pas en règle, se verra refusé le départ.

Les commerçants commettent parfois certains excès. Il y

Les convois franchissaient les rivières à des gués connus des éclaireurs.

La prison d'Independence restaurée, est devenue le musée de la ville.

Les chefs des chariots prenaient à l'étape les ordres de leur scout.

en a qui ont quelque peu majoré les prix, mais une visite des représentants du Sheriff a vite fait de remettre tout dans l'ordre. Le mercanti se voit infligé une amende et en cas de récidive, il sera puni de prison.

A Independence, règne une discipline très stricte. Ceux qui l'ont instituée ont fait plusieurs fois la route vers l'Ouest et ils connaissent fort bien les dures obligations de la piste. Ils savent qu'un seul propriétaire de chariot qui n'est pas en règle, retardera toute la caravane et risquera ainsi de mettre ses compagnons dans des situations précaires. S'ils exigent beaucoup des nouveaux pionniers, c'est pour que ceux-ci réussissent dans leur gigantesque entreprise.

DES COUREURS DE PISTES.

A Independence, les voyageurs trouvent les guides indispensables. Ceux-ci les méneront sur les pistes, pendant 5 mois, leur évitant mille dangers. Ces guides seront payés un bon prix qui sera réglé par le " wagon master " lorsque celui-ci aura réclamé, à chacun des propriétaires de chariot, sa contribution.

Ces guides, pittoresques et truculents personnages sont pour la plupart des anciens trappeurs, des chasseurs de fourrures ayant opéré pour leur compte et qui, mieux que quiconque, connaissent les moindres sentiers, les points d'eau les plus éloignés, les mille recoins de la prairie. Le visage halé par le

soleil et fouetté par le vent des pistes, souvent hirsutes et barbus, vêtus de cuir et chaussés de mocassins, ils sont les amis des Indiens, dont beaucoup partagent la vie errante. Nombreux d'ailleurs sont ceux qui ont épousé une Indienne et dont les fils sont élevés comme tous les autres garçons du camp. En vivant ainsi avec certaines tribus, ces courreurs de sentiers se sont initiés aux mille secrets de la Prairie. Et c'est de leur précieuse expérience, que les guides feront bénéficier les membres de la caravane. Independence fut ainsi le premier lieu d'où partirent vers la Terre Promise des milliers de pionniers, hommes et femmes, vieillards et enfants.

La plupart réussirent, dans cette prodigieuse entreprise.

D'autres centres, de moindre importance d'ailleurs, se créèrent tout au long du fleuve, sur la rive Est, à proximité d'un gué ou près d'un endroit où la rivière était peu profonde, ceci afin que le passage d'une rive à l'autre ne fut pas trop compliqué.

Mais Independence est demeurée le plus important de ces centres, et cette situation dura pendant vingt ans.

LA FIN DES CARAVANES.

Puis un jour, plus au nord, dans le Nebraska, une ville devait supplanter Independence : Omaha.

Dans les régions de l'Est, entre la côte atlantique et les rives du Mississippi, le chemin de fer, qui était exploité

Les trappeurs, qui connaissaient les pistes, étaient des guides sûrs.

Cette peinture de W. Koerner, montre un wagon-master sur la piste.

Après plusieurs mois d'une lente progression, la caravane est enfin arrivée à la dernière étape. Il s'agit maintenant d'édifier la maison.

par plusieurs compagnies, étendait un vaste réseau qui ressemblait à une véritable toile d'araignée. Une ligne reliait New-York à Chicago et se prolongeait vers l'Ouest pour aboutir à Council Bluffs, c'est-à-dire à quelques miles seulement du grand fleuve. Certes de nombreux émigrants étaient venus par le train, mais la plupart, préférant s'équiper dans les villes de la côte, avaient fait la route en chariots bâchés. Ils avaient ainsi gagné par leurs propres moyens Independence.

Non loin de là sur l'autre rive du Mississippi une ville surgit du sol. C'était Omaha qui, grâce au chemin de fer devait prendre très rapidement une importance capitale.

En effet, Washington décida un jour de prolonger la voie ferrée fort loin dans l'Ouest.

L'épopée du Transcontinental commençait.

Elle marquait le proche déclin des diligences et des caravanes. Lorsque le tracé de la ligne transcontinentale, dont le point de départ avait été fixé au centre du Nebraska fut relié à Omaha qui, grâce à un pont jeté sur le Mississippi, se trouva raccordée à Council Bluffs, on put aller en chemin de fer de New-York en Californie.

Independence, alors, retrouva le calme. Ses rues devinrent moins bruyantes et sa population se dispersa.

Heureuse et satisfaite, la petite ville s'enfonça dans ses souvenirs.

Aujourd'hui, abritée par un arbre touffu on peut voir une énorme pierre marquant le point de départ des caravanes, juste devant le Palais de Justice.

Parfois, au cours des nuits de clair de lune, les habitants demeurés fidèles croient entendre le grincement des lourds chariots descendant lentement la rue en pente conduisant aux berges du Missouri.

C'était il y a plus d'un siècle...

Dans « La Caravane vers l'Ouest », James Cruze a recréé le passé.

CI-DESSOUS : **Telle fut la fin de nombreux pionniers attaqués soudainement au cours de leur randonnée par des Peaux Rouges.**

7

L'épopée du chemin de fer transcontinental a inspiré plus d'un artiste populaire. Voici une gravure de la célèbre collection « Currier and Ives ».

L'EXTRAORDINAIRE AVENTURE DU TRANSCONTINENTAL

CENTRAL PACIFIC

La découverte, le 28 janvier 1848, d'une pépite d'or dans le limon d'un canal alimentant la roue d'un moulin de la Sonora valley devait transformer entièrement l'existence dans cette région de la Californie. Là, où, du temps de Johann Sutter, s'étendaient, à perte de vue des champs de blé, se dresse maintenant une ville prospère, Sacramento, devenue la capitale de l'état de la Californie.

La ville commerçante disposait avant tout de nombreuses banques, de magasins et d'entrepôts qu'alimentaient de nombreux vapeurs remontant la Sacramento river. Parmi les notables de la nouvelle métropole, se trouvaient quatre hommes décidés, qui contrôlaient les principales entreprises de la cité. C'étaient Leland Stanford, un épicier; Charles Crooker, marchand de conserves et de légumes secs. Les deux autres, tous deux quincailliers, étaient Collis P. Huttington et Mark Hopkins. Le renouvellement des marchandises était difficile,

long et coûteux. Il fallait faire venir, de New York, les commandes qui alors empruntaient la route de terre, c'est-à-dire celle des caravanes ou la voie maritime, par le Cap Horn. De plus, la Californie étant très distante de l'Est on l'oubliait souvent, à Washington.

Les quatre commerçants, les Big-Four (les quatre Grands) comme on les appelait, voulurent remédier à cet état de chose. Ils cherchèrent la meilleure solution et bientôt tombèrent d'accord. Il fallait construire une ligne de chemin de fer entre le Mississippi et la capitale de la Californie, une voie ferrée de 1776 miles, soit quelques 2 850 kilomètres.

Déjà dans ce but, 5 équipes d'ingénieurs avaient visité l'Ouest avec leur matériel, mais elles s'étaient heurtées à de telles difficultés que ce projet avait été abandonné.

Un matin les " Big-Four " décidèrent d'unir leurs efforts et leurs capitaux pour entreprendre coûte que coûte la construction d'une ligne de chemin de fer.

Ils engagèrent un jeune ingénieur de 34 ans, Théodore Judah,

Les ingénieurs de la Central Pacific procédèrent à des relevés de terrains dans de nombreux cols des Montagnes Rocheuses.

Les collaborateurs de Théodore Judah durent souvent se livrer à de périlleuses acrobaties dans le défilé sauvage de Humbolt.

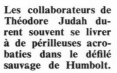

N° 2

Leland Stanford.   Mark Hopkins.   Collis P. Huntington.   Charlie Crooker.

qui venait de construire une ligne de 28 miles dans la Sacramento valley et qui se mit aussitôt au travail. Théodore Judah escalada les Rocheuses, parcourut les prairies et les déserts et dessina, sur une carte, le tracé de la ligne idéale. Les " Big-Four" approuvèrent ses suggestions. Restait toutefois à obtenir l'accord du gouvernement.

WASHINGTON, ENFIN, SE DÉCIDE

La guerre venait d'éclater entre le Nord et le Sud. Washington comprit enfin qu'il fallait faire quelque chose pour la lointaine Californie qui risquait de basculer dans le camp des Confédérés avec tout son or. En 1861, Leland Stanford fut nommé gouverneur de la Californie et président d'une compagnie ferroviaire fondée pour la circonstance : la Central Pacific. Collis P. Huttington reçut le titre de vice-président, Mark Hopkins devint trésorier et Charles Crocker superintendant à la construction. Tous quatre investirent dans l'affaire la plus grande partie de leurs capitaux. C'était là un risque énorme, d'autant qu'à Sacramento, nombreux étaient ceux qui souhaitaient leur échec.
Les plans de Théodore Judah furent définitivement adoptés et le 1er juillet 1862, Abraham Lincoln signa le " Pacific Railroad act " permettant le commencement des travaux à l'Ouest, comme à l'Est où une autre compagnie était créée :

l'Union Pacific, qui devait partir d'Omaha et foncer vers l'occident, en direction de Sacramento.
Théodore Judah, qui avait été dépêché à Washington, télégraphia à ses associés : " Avons acquis un éléphant. Voyons maintenant, si nous pouvons l'harnacher ! "
Tracer une piste pour les diligences avait été naguère une entreprise difficile. Il fallait compter sur les rigueurs du climat de montagne en hiver. Charles Crooker se rendit à San Francisco où il rencontra les dirigeants de deux importantes sociétés secrètes, la " Wing-Young " et la " Founk-Ting-Ton " et signa avec elles un accord par lequel elles s'engageaient à lui fournir plusieurs milliers d'ouvriers. L'argent des salaires serait versé aux deux sociétés, lesquelles après s'être remboursée des frais de voyage, aller et retour (si le Céleste mourait en Amérique, son corps serait ramené dans son pays natal, comme l'exigeait la tradition) conservaient le capital et le faisait fructifier. Charles Crooker, qui fut surnommé avec ironie " Chinese Charlie " engagea ainsi 11.000 ouvriers jaunes. Comme ce n'était pas suffisant, il se rendit à Canton et en réclama 4.000 autres. Ces Chinois vêtus de leur pittoresque costume, coiffés de leur chapeau pointu en paille de riz firent merveille, se contentant, pour toute nourriture, d'un simple bol de riz et de poissons séchés. Tout le matériel nécessaire à la construction du Central Pacific : pelles, brouettes, poutrelles de fer et rails d'acier fut commandé aux entreprises de Pittsburg et de Philadelphie et acheminé jusqu'à San Francisco par des navires passant par le

Le chemin de fer devait franchir des milliers de miles, au travers d'immenses prairies, dans des régions nouvelles et pleines d'imprévus.

Théodore Judah, qui avait déjà construit la ligne de la Sacramento valley, fut chargé d'établir le tracé du Transcontinental railroad.

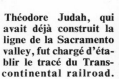

Tout le matériel de la Central Pacific fut apporté par voie de mer.

Des tunnels en bois contre la neige furent édifiés dans la Sierra Nevada.

Cap Horn. Il en fut de même des tonnes de dynamite et de poudre nécessaire pour faire sauter les montagnes. Les locomotives et wagons furent acheminés de la même façon. Le premier rail de la Central Pacific fut posé à Sacramento, le 23 octobre 1863. La première locomotive, acheminée en pièces détachées par un des 30 bateaux affrétés par les quatre Grands, la "Governor Stanford", entra en service le 10 novembre de la même année. Sept mois plus tard, le 10 juin 1864, les 31 premiers miles (49 kilomètres) étaient construits entre Sacramento et Newcastle, répondant ainsi aux exigences de Washington.

Théodore Judah ne vécut pas assez longtemps pour voir achevée l'œuvre dont il fut l'un des plus ardents partisans. Traversant l'isthme de Panama, pour aller conférer à Washington, il attrapa les fièvres et mourut à l'hôpital à New York. Il fut remplacé par deux de ses collaborateurs, Sam S. Montague et John H. Strobridge.

DES DIFFICULTÉS MULTIPLES

Ce fut alors que les premières difficultés surgirent pour les pionniers de l'Ouest. L'argent récolté avait été dépensé et

les armateurs avaient majoré le transport par mer du fait des risques de guerre. Alors qu'à l'Est les ouvriers de l'autre entreprise progressaient rapidement, l'activité se trouva considérablement ralentie sur les chantiers de la Central Pacific. Les quatre Grands appelèrent à l'aide Washington, qui répondit que tout l'argent était réservé à l'effort de guerre. A l'ouest des Rocheuses, les travaux n'en continuèrent pas moins mais il fallut 11 mois pour construire les 5 miles entre Newcastle et Auburn. Le 13 mai 1865, sans cesse sollicité, le gouvernement se décida enfin à apporter son aide. Les quatre Grands soupirèrent. Mais ils n'étaient pas au bout de leurs peines. Au début de 1866, commença la partie la plus dure des travaux. Creusés en pleines Rocheuses, à 800 mètres d'altitude, le tunnel de Summit fut entrepris sur quatre chantiers à la fois. Il fallut faire sauter des roches d'une incroyable dureté. La ligne nécessita le percement de quatorze tunnels. Les hivers 1865-1866 et 1866-1867 furent épouvantables, insupportables tant pour les Blancs que pour les Chinois. Heureusement Charles Crooker eut l'idée d'installer des patins sur trois locomotives et quarante wagons. Il put assurer ainsi, en dépit du gel, l'approvisionnement aux abords du canyon de Truckee river.

DE CURIEUX ABRIS

La première locomotive de la Central Pacific parvint le 13 décembre 1867, à la frontière de la Californie et du Nevada. Pour parer aux risques nombreux d'avalanches, on construisit ces abris en bois, caractéristiques des lignes américaines. Un ouvrier chevronné déclara : " — J'ai déjà construit bien des chemins de fer. Mais c'est bien la première fois que j'en fais passer un dans une grange ! "

En 1868, tandis que l'Union Pacific poursuivait sa marche sans trop d'à-coups, Charlie Crooker affirma qu'un mile au moins devait être construit chaque jour à l'Ouest. La lutte entre les deux entreprises atteignit son point culminant.

Au printemps 1868, les durs travaux entrepris dans la montagne furent enfin achevés. La Central Pacific se lança alors littéralement à la conquête de la plaine. Il était, en effet, entendu que chaque pouce de terrain conquis resterait la propriété de l'une ou l'autre compagnie.

Des Indiens shoshones du Nevada contemplent la locomotive n° 50.

Les ouvriers se rendant sur les chantiers à l'aide de tracteur dit « lorry ».

Les Peaux Rouges se livraient à de fréquentes attaques.

UNION PACIFIC

Tandis que les quatre Grands de Sacramento se démenaient pour faire accepter leur projet, une société semblable à la Central Pacific, l'Union Pacific, se constituait à l'Est ; elle avait à sa tête, elle aussi, quatre personnalités.

Le vice-président était Thomas C. Dunant, un homme entièrement acquis aux questions ferroviaires. Originaire de Lee, dans le Massachusetts, il avait tout d'abord préparé sa médecine. Diplômé, il s'en fut travailler avec son oncle qui dirigeait une usine. Ce fut ainsi qu'il découvrit le monde du chemin de fer. En 1851, il entrait en contact avec Henry Farnharm, du Chicago and Rock Island railroad. Deux années plus tard, il devenait son associé pour l'exploitation du Mississippi and Missouri railroad. Lorsqu'il entendit discuter, dans les couloirs de Washington, du futur Pacific Railway act, il en devint un farouche défenseur et se promit de le faire accepter par le gouvernement. Dès 1862, il envoya plusieurs équipes de techniciens vers les Rocheuses. Thomas C. Dunant avait un caractère entreprenant, audacieux, téméraire, mais il était autoritaire et despote.

Grenville Dodge à l'âge de 20 ans, avait déjà participé à la construction du Mississippi and Missouri railroad, à travers l'Iowa, puis à l'extension de la ligne du Chicago and Rock Island railroad.

Grenville Dodge était très lié avec deux ingénieurs, Samuel B. Reed et Peter A. Rey, avec lesquels il discuta souvent de l'expansion du réseau ferroviaire dont il était un fervent partisan. Quand il arriva à Council Bluffs, il s'enthousiasma pour cette région toute nouvelle pour lui. En août 1859, Abraham Lincoln, alors modeste homme de loi en Illinois, vint à Council Bluffs. Il s'entretint pendant deux heures avec Grenville Dodge qui, déjà, entrevoyait la construction d'un chemin de fer vers le Pacifique.

Lors de la guerre de Sécession, Grenville Dodge servit dans les rangs nordistes, avec le grade de brigadier-général. A la bataille de Pea Ridge, il eut son cheval tué sous lui. Quand Thomas C. Dunant, qui envisageait de créer l'Union Pacific, lui demanda de quitter l'armée, il refusa. Ce fut le président Abraham Lincoln qui, en 1863, le nomma conseiller ferroviaire. En mars 1863, Peter E. Rey appelé à un autre poste céda son emploi à l'Union Pacific, à Grenville Dodge qui devint ingénieur en chef, au salaire de 10.000 dollars par an. La première décision de Grenville Dodge fut de déterminer la meilleure et aussi la plus courte route à suivre. Il décida que le chemin de fer foncerait en direction du

Certains trains étaient des villes roulantes avec dortoirs et bureaux.

Il fallut construire plus d'un pont semblable à celui de Devil's gate.

En bordure de la ligne, la Western Union installe le télégraphe.

FER TAL

(1) Coulée de neige. (2) Tunnel en bois pour protéger les voies des avalanches. (3) Les traverses sont acheminées par toboggan. (4) Stockage et chargement des traverses. (5) Remblai en bois permettant de gagner du temps. (6) Convoi de charrettes. (7) Clou en Or enfoncé le jour de l'inauguration. (8) Déchargement des traverses. (9) Contremaître dirigeant une équipe de Chinois. (10) Pose des traverses. (11) Géomètre (12) Manœuvre chinois. (13) Chinois calant les traverses. (14) Equipe portant un rail. (15) Les rails sitôt posés, sont rivés par une autre équipe. (16) Wagon chargé de rails. (17) Les wagons vides sont basculés en bordure de la voie. (18) La locomotive est chauffée au bois. (19) Lanterne utilisant le pétrole. (20) Cloche. (21) Sifflet. (22) Chasse-bœuf. (23) Tender. (24) Wagon-grue. (25) Wagon-cuisine. (26) Wagon à étages servant au transport des ouvriers. (27) Tente de serre-frein. (28) Les rochers sont attaqués au pic. (29) Lory, véhicule léger utilisé pour le contrôle de la voie. (30) Wagon de voyageurs de l'époque. (31) Volant de frein à main. (32) Commerçants ambulants. (33) Diligence de la Wells-Fargo. (34) Restaurant ambulant. (35) Indiens venus en curieux. (36) Le bison, base de la nourriture des ouvriers. (37) La compagnie a engagé des chasseurs pour le ravitaillement; l'un d'eux est le fameux Buffalo Bill. (38) Le chef des chantiers discute avec ce dernier. (39) Mise en place d'un poteau télégraphique. (40) Train immobilisé par une harde de bisons. (41) Voyageurs tirant inconsidérément sur les bisons. (42) Bataille entre ouvriers des chantiers et Indiens. (43) Wagon, type Zoulou, spécialement conçu pour les émigrants. (44) Couchette. (45) Couchette rabattue. (46) Lampes à pétrole. (47) Poêle à bois. (48) Ramassage du courrier. (49) Potence solidaire d'une estrade. (50) Croc maintenant debout le sac postal. (51) Escalier d'accès à l'estrade. (52) Wagon postal. (53) Postier. (54) Levier du crochet en épingle à cheveux enlevant le sac postal. (55) Axe faisant pivoter le levier. (56) Sac postal et son cadenas. (57) Fond du sac et sa poignée de transport. (58) Incident sur la voie. (59) Le conducteur renverse la vapeur. (60) Il actionne le sifflet pour alerter le serre-frein, en queue du convoi, qui, aussitôt opère. (61) Il serre les freins de sa locomotive. (62) Son assistant serre ceux du tender. (63) Manomètre. (64) Lampe à pétrole éclairant la cabine. (65) Porte du foyer de la chaudière. (66) Bûches pour le chauffage.

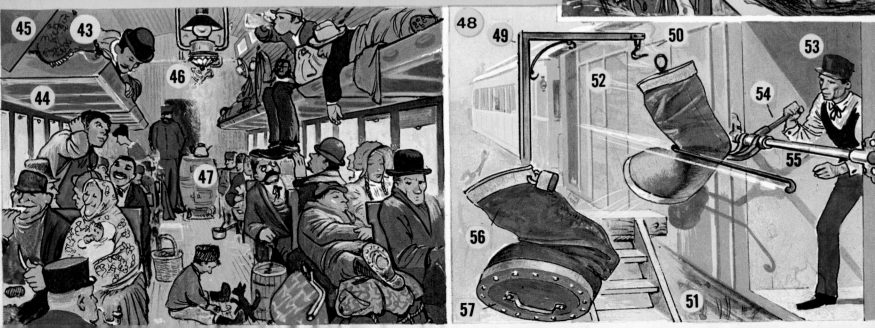

Thomas C. Dunant.

Oliver Oakes Ames.

Grenville Dodge.

John Stephen Casement.

Wyoming, en suivant le cours de la vieille piste de l'Orégon. Le général John Stephen (Jack) Casement gravit tous les échelons de la hiérarchie ferroviaire. Il débuta comme simple manœuvre, en 1850, au Cleveland, Columbian and Cincinnati railroad. Il s'engagea, avec son frère Dan, au 7e Ohio Volunteers Infantry, pour la durée de la guerre de Sécession, lorsque celle-ci éclata. A l'issue de la bataille de Franklin, il fut promu breveted-brigadier-general, par le président Abraham Lincoln, en personne. Démobilisé à la fin des hostilités, les deux frères Casement créèrent leur propre entreprise " J.S. and D.T. Casement " qui travailla pour l'Union Pacific. John Stephen (Jack) Casement reçut alors le titre de Track Contractor.

Le quatrième Grand de l'Union Pacific était un homme de finance, Oliver Oakes Ames, dont la collaboration fut des plus précieuses. Ses parfaites connaissances et ses nombreuses relations lui permirent de trouver les capitaux nécessaires à la construction de la ligne.

L'Union Pacific, eut, elle aussi, son Théodore Judah. C'était Samuel B. Reed, un ingénieur habile qui, en 1841, avait travaillé à la construction du canal Erié. Devenu l'ami de

Samuel B. Reed fut l'ingénieur en chef qui dirigea les travaux.

Henry Farnharm, celui-ci le présenta à Thomas C. Dunant, alors son associé. Après avoir travaillé en Iowa, pour le Burlington railroad, il fut donc engagé par Thomas C. Dunant, occupa le poste de super-intendant et s'en fut reconnaître les régions aux abords de Salt Lake city. Le nouveau collaborateur de l'Union Pacific visita les Wasatch mountains et le désert au sud du Grand Lac Salé, en direction de l'Humbolt river.

L'Union Pacific devait construire sa ligne à travers un immense désert, au milieu d'une région aride et désolée, sans eau et grillée continuellement par un ardent soleil. Il fallait lutter sans cesse contre les éléments hostiles et aussi contre les Indiens, lesquels voyaient d'un mauvais œil s'installer sur leurs terres, les Visages Pâles. La présence du " cheval de fer " devait chasser de leurs territoires les bisons indispensables à leur subsistance.

L'Union Pacific n'avait pas à escalader des montagnes, mais devait franchir des plaines s'étendant à perte de vue. Uniformément droite, la ligne, de son point de départ, se déroulait sur plus de 1.000 miles.

Le point de départ officiel fut situé au centre du Nebraska, sur le 100e méridien de longitude, à l'ouest de Greenwich, non loin de la Republican river, là où aujourd'hui se trouve la modeste bourgade de Cozad. Omaha, Nebraska, et Council Bluffs (Iowa) voulaient devenir le point de départ de l'Union Pacific, de même que Sioux City, Iowa, Saint Joseph et Kansas city (Missouri). Ce fut le président Abraham Lincoln qui résolut le problème. En signant le Pacific Railroad, en 1862, il déclara que la ligne partirait des rives de la Republican river. Le même décret précisa que les rails d'acier et la plus grande partie du matériel devaient provenir des aciéries américaines.

Pour commencer ses travaux, l' Union Pacific lança en septembre 1862, à la Bourse de Chicago, 2.000 actions. Fin décembre, 31 seulement avaient été vendues à sept acheteurs, parmi lesquels Brigham Young, qui, au nom de son gouvernement, en avait acquis cinq.

Grenville Dodge était très ami avec le général Ulysse Grant, qui avait succédé à Abraham Lincoln au poste de président des Etats Unis. Cette amitié fut très utile à l'Union Pacific. Par ailleurs, Grenville Dodge entretenait d'excellents rapports avec ses concurrents de la Central Pacific. Il leur rendit souvent visite et en profita pour observer attentivement leurs méthodes de travail.

Les hommes de l'Union Pacific opéraient de façon bien particulière. En avant garde, sous la protection de gardes armés de Winchester, partaient 1.500 bûcherons qui abattaient les arbres et déblayaient le terrain. Venaient ensuite les ingénieurs qui délimitaient le tracé exact de la ligne.

C'était alors au tour des terrassiers et des poseurs de traverses répartis en trois équipes. La première était chargée de placer les traverses dans les courbes et les détours, travail particulièrement délicat; les deux autres étaient chargées des travaux intermédiaires. A peine mises en place, les traverses étaient fixées par des clous. Sitôt ceux-ci enfoncés, une locomotive, poussait devant elle plusieurs plates-formes sur lesquelles étaient entassés des rails. Le convoi progressait lentement, à une allure toujours régulière, sans jamais ralentir, ni s'arrêter.

Deux équipes de cinq ouvriers, marchant de chaque côté du ballast, prenaient chacune un rail et sur un rythme cadencé par la voix autoritaire d'un contremaître, le plaçait sur les traverses suivantes. Quand une plate-forme était débarrassée de son chargement, elle était aussitôt renversée sur le côté et laissée sur le ballast, en bordure de la voie. Après quoi, sans attendre, on passait à la plate-forme suivante.

Six millions et demi de traverses, ayant subi une préparation spéciale, et 50.000 tonnes de rails furent transportés d'Omaha par bateaux sur le Missouri et la North Platte river et ensuite par chariots bâchés jusqu'aux dépôts et chantiers de l'Union Pacific.

Le premier tronçon dévolu à cette compagnie s'étendait au delà du 100e méridien, sur plus de 147 miles. Il fut mis en service le 23 octobre 1867, c'est-à-dire deux mois avant l'expiration du délai accordé pour sa réalisation.

UNE VILLE CHAUDE

Les chantiers progressaient au fur et à mesure de la construction de la ligne. Une véritable ville, colorée et pittoresque, avançait ainsi tout au long du ballast, tandis qu'en arrière, plusieurs trains constitués de wagons-dortoirs pour les ouvriers, de wagons-bureaux pour les ingénieurs et contremaîtres, se succédaient, se déplaçant lentement chaque fois qu'un tronçon de ligne était terminé.

Tout autour de ce monde affairé se dressaient de nombreuses baraques et même de simples tentes, abritant toute une foule de marchands, de commerçants, d'aventuriers qui trouvaient dans les braves et crédules ouvriers une clientèle de choix.

Il y avait, bien sûr, des saloons aux façades multicolores et

Une des voitures Pullman en service entre Omaha et Sacramento.

illuminées où l'on vendait un alcool frelaté; des maisons de jeux où l'on disputait d'interminables parties de poker, de wist, de faro et de craps, où les cartes, le plus souvent, étaient biseautées et où la roulette, elle aussi, était truquée. Dans les vapeurs de l'alcool et de la fumée, tandis que le pianiste ressassait ses éternelles rengaines, les gars du chemin de fer venaient s'étourdir et les soirs de paye, de violentes bagarres éclataient.

A côté de ces tripots, il y avait les maisons de plaisir, où les filles fardées, entôlaient le plus souvent, leurs clients trop confiants.

L'atmosphère dans ces villes étranges était brûlante. On y vivait, sans cesse, sur les charbons ardents et la poudre, souvent, parlait. L'ordre était difficile à maintenir. L'Union Pacific dut créer sa propre police.

En dépit des mille difficultés rencontrées de part et d'autre, les deux entreprises se rapprochèrent l'une de l'autre. Il vint un jour où elles se rencontrèrent et même se dépassèrent, continuant à progresser parallèlement l'une à l'autre. Aucune ne voulut céder. La nuit des ouvriers, se glissant dans les chantiers rivaux, sabotaient le travail de leurs concurrents.

Ce fut Washington qui précisa le lieu où devait avoir lieu la jonction.

Celle-ci fut fixée en Utah, près du Grand Lac Salé, au nord-ouest d'Ogden, à Promontory Point.

La première station de l'Union Pacific ne fut pas Omaha, sur le Missouri, mais au 100e parallèle en plein Nebraska, sur la Republican river.

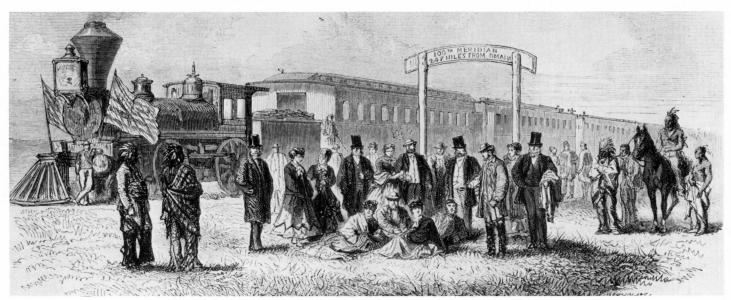

PROMONTORY POINT 10 MAI 1869

L'inauguration de la ligne eut lieu le 10 mai 1869. La cérémonie devait se dérouler avec faste et en présence de nombreux invités venus de tous les coins des Etats Unis. Leland
Stanford, gouverneur de la Californie, reçut la lourde charge
de présider et de recevoir les dirigeants de l'Union Pacific. Il
devait y avoir aussi les envoyés spéciaux des grands journaux
du monde entier.

Au jour dit, les ouvriers des deux entreprises étaient là,
tous présents pour exécuter les ultimes travaux. Quatre
compagnies d'infanterie et la musique du régiment en garnison à Fort Douglas étaient alignées sur deux rangs. De
nombreux ranchmen étaient venus dès la première heure,
la plupart de fort loin, par leurs propres moyens.

A 9 heures, un premier train de la Central Pacific amena
de Sacramento les premières personnalités. Le sifflet de la
machine retentit plusieurs minutes. En même temps, apparaissaient, à l'horizon, les deux trains spéciaux de l'Union
Pacific qui avaient fait une ultime étape à Cheyenne, pour y
prendre les derniers invités.

**10 mai 1869. L'instant est solennel : On va inaugurer la ligne.
Entre les deux locomotives, une bouteille de champagne venue de France.**

A 10 heures 15, les ouvriers chinois, dont l'aide avait été si
précieuse, nivelèrent le ballast. Trente minutes plus tard
arriva enfin le train du gouverneur Leland Stanford qui
apportait, avec lui, un clou d'or ainsi qu'une pelle et un
marteau, tous deux en argent.

On déposa sur le sol, une traverse en bois de laurier portant
sur un écusson : " Dernière traverse posée sur le Pacific
railroad, le 10 mai 1869 ". Puis la machine " Jupiter " de la
Central Pacific et la machine " 109 " de l'Union Pacific
se rapprochèrent l'une de l'autre, à moins de 2 mètres.
Un peu avant midi, on télégraphia à Washington que l'ultime
moment de la cérémonie serait annoncé dans toutes les villes
de l'Union, par la Western Union Telegraph Company. A
San Francisco, le fil du télégraphe fut connecté à la sirène
d'alarme des pompiers.

UNE CÉRÉMONIE MÉMORABLE

A 12 heures 27, un télégramme fut envoyé. " Tout est prêt.
découvrez-vous. Le moment de la prière est venu ! Le
silence se fit et le révérend Père J. Todd, du Massachusetts,
se recueillit pendant deux minutes.

A 12 heures 40, la cloche tinta et Chicago répondit : "Nous
vous suivons parfaitement. Tout est prêt dans l'Est ! "
Promontory annonça : " Le premier clou va être mis en
place! Le signal consistera en trois coups bien distincts ! "
Les gens se rapprochèrent, tandis que trois hurrah retentis-
saient. Le premier, en l'honneur du président des Etats Unis;
le second, pour la bannière étoilée et le troisième pour tous
ceux qui, d'une façon ou d'une autre, avaient contribué à
cette gigantesque entreprise. Le président Leland Stanford se
saisit alors du marteau. Par trois fois, on frappa sur la cloche
et les trois coups furent entendus de partout. Puis il y eut
un silence de quelques secondes et Leland Stanford enfonça
le clou. A Washington, la cloche du Capitole fut mise en
branle. A 12 heures 47, Promontory précisa : " C'est fait ! "
Tandis que, dans toutes les villes, chacun se réjouissait de
l'événement et que les cloches des églises et cathédrales
sonnaient à toutes volées, sur le terrain Leland Stanford du
Central Pacific et Thomas C. Dunant de l'Union Pacific se
serrèrent longuement la main consacrant par ce geste solennel, l'Union définitive de l'Est et de l'Ouest.

Ce document extraordinaire a été édité par la firme Winchester à l'occasion du centenaire du Transcontinental. Une arme à tirage limité a été réalisée.

UN TÉLÉGRAMME AU PRÉSIDENT

Un télégramme fut alors envoyé au général Ulysse Grant chef de l'Etat : " Promontory Point, le 10 mai 1869. Le dernier rail est en place, le dernier tirefond est enfoncé. Le chemin de fer du Pacifique est achevé. Le point de jonction est à 1.086 miles à l'ouest du Missouri et à 690 de la côte du Pacifique. Signé : Leland Stanford, pour la Central Pacific; Thomas C. Dunant, Sidney Dillon et John Duff, pour l'Union Pacific. "

Au cours de cette cérémonie de brefs discours furent prononcés, notamment par Leland Stanford et par Grenville Dodge. Quatre clous — deux en or, deux en argent — furent présentés par les états du Montana, de l'Idaho, de la Californie et du Nevada.

Durant toute la cérémonie, Leland Stanford demeura sur le côté ouest de la traverse tandis que Thomas C. Dunant, lui faisant vis-à-vis, demeurait du côté est.

Lorsque les clous furent en place, les deux locomotives se rapprochèrent encore davantage pour se toucher presque et une bouteille de champagne, venue de France, fut solennellement brisée.

La cérémonie était terminée. Elle s'était déroulée sous un ciel nuageux, en présence d'une foule évaluée à 1.100 personnes. Un fastueux banquet suivit pour les invités.

Tandis que tout ce monde festoyait, la traverse en bois de laurier était remplacée par une en bois ordinaire. La traverse de l'inauguration fut transportée à San Francisco mais détruite lors de l'incendie provoqué par le tremblement de terre de 1906. Le clou d'or, lui, est toujours au Stanford Museum de Palo Alto, dont il est l'orgueil.

Cette ligne ferroviaire transcontinentale avait coûté 118 millions de dollars, soit 45 milliards de nos anciens francs.

Par la suite, des corrections, des améliorations furent apportées au tracé de la ligne, laquelle demeure, encore aujourd'hui, très fidèle à celle imaginée par Théodore Judah. Cette entreprise reste, de nos jours, le plus extraordinaire western jamais vécu par les hommes du Rail.

Il fallut ensuite relier l'Est à l'Ouest par des voies différentes. Il y eut ainsi le fameux Santa Fé Railroad qui relie le Kansas à la Californie passe par le Sud des Etats Unis et le chemin de fer du Rio Grande qui se faufila dans les gorges et les canyons du Colorado.

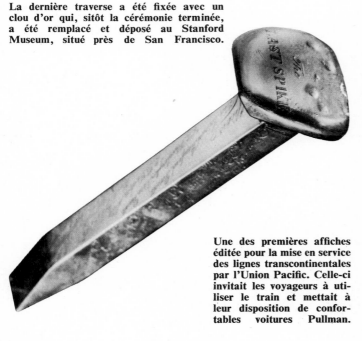

La dernière traverse a été fixée avec un clou d'or qui, sitôt la cérémonie terminée, a été remplacé et déposé au Stanford Museum, situé près de San Francisco.

Une des premières affiches éditée pour la mise en service des lignes transcontinentales par l'Union Pacific. Celle-ci invitait les voyageurs à utiliser le train et mettait à leur disposition de confortables voitures Pullman.

N° 3

Cette exécution de 38 Indiens Sioux, à Mankato dans le Manitoba, le 26 décembre 1862, fut le prélude des sanglantes guerres indiennes.

L'AFFAIRE FETTERMAN

Après avoir tenu garnison à Fort Connor et Fort Reno, sur la Bonanza trail, la piste des chercheurs d'or prospectant dans le Montana, le colonel Henry Carrington, ayant le plus célèbre scout Jim Bridger comme guide, reçut de ses chefs, au cours de l'automne 1866, l'ordre d'ériger un nouveau poste militaire sur la Big Piney creek, au nord de l'état du Wyoming. Cette région était particulièrement dangereuse car de très nombreuses tribus indiennes hostiles, sous les ordres de chefs habiles et expérimentés tels que Red Cloud, Man Afraid of his Horse et Crazy Horse, ne cessaient de harceler les Visages Pâles, dont ils ne voulaient à aucun prix sur leurs territoires. Le colonel Henry Carrington commença néanmoins les travaux qui furent en dépit de nombreuses alertes menés à bonne fin. A la fin de l'automne, le bastion était terminé et tout était prêt à recevoir la troupe. Le nouveau poste reçut le nom de Fort Phil Kearny.

Parmi les nouveaux officiers de la nouvelle garnison se trouvait un jeune capitaine récemment arrivé d'une ville de l'Est, William Fetterman, qui s'était particulièrement distingué au cours des combats lors de la guerre de Sécession et qui avait voué, on ne sut jamais pourquoi, une haine farouche aux Indiens. A qui voulait l'entendre il ne cessait de dire qu'il était prêt à entreprendre un raid sur les camps sioux et cheyennes de la vallée de la Tongue river et qu'avec 50 hommes seulement il était capable de venir à bout de

la nation sioux tout entière. Les vieux soldats habitués des pistes et des escarmouches avec les Peaux Rouges haussaient les épaules et le considéraient comme un fanfaron. Néanmoins le capitaine William Fetterman n'en démordait pas.

Pour pouvoir achever la construction des annexes du batiment principal du Fort, il fallait envoyer chaque jour des corvées de bois dans les forêts voisines pour y abattre les arbres nécessaires.

Le 16 décembre 1866, un éclaireur sang mêlé avertit le colonel Henry Carrington que des Indiens hostiles s'étaient réunis dans les collines voisines, au nord, et que les deux chefs Red Cloud et Crazy Horse avaient décidé de déclencher des opérations de harcèlement contre les Blancs.

L'ALERTE EST DONNÉE.

Cinq jours plus tard, le 21 décembre au matin, par un temps clair, la traditionnelle corvée de bois se rendit au travail. Vers 11 heures, une sentinelle postée à Pilot hill, signala un important rassemblement d'Hostiles animés visiblement d'intentions belliqueuses. Le colonel Henry Carrington fut aussitôt alerté et désigna un détachement pour se porter

Captain William FETTERMAN. **Colonel Henry CARRINGTON.** **Le Chef Oglala RED CLOUD.**

sans retard à leur rencontre et les disperser. Le captain James Powell en reçut le commandement. Son collègue William Fetterman, demanda au commandant du fort de prendre sa place. Connaissant son caractère vif et impétueux le colonel refusa puis son subordonné insistant il finit par se laisser fléchir. Il recommanda toutefois au jeune captain de ne pas dépasser, sous aucun prétexte en cas de poursuite, le lieu appelé Lodge Trail ridge. William Fetterman, en selle, répondit : " -Yes, Sir !"

William Fetterman quitta Fort Phil Kearny, suivi de cinquante fantassins commandés par deux officiers, et de soixante cavaliers sous les ordres d'un officier. A la petite troupe se joignirent deux civils.

Du chemin de ronde du fort, le colonel Henry Carrington suivit à la jumelle la progression du détachement, lequel à sa très grande surprise, après avoir marché vers le lieu où se trouvait la corvée de bois, bifurqua brusquement, pour se porter à la rencontre des Indiens avec l'intention très nette d'attaquer leurs avant-gardes.

Brusquement William Fetterman vit se dresser devant lui, surgissant de derrière les buissons, une douzaine de guerriers de Crazy Horse, qui sans attaquer battirent précipitamment en retraite. Un coureur de pistes aurait immédiatement éventé le piège. Mais un officier nouvellement nommé au Wyoming, ignorant donc tout de la technique indienne, y donna tête baissée.

Le jeune captain ordonna la poursuite du petit groupe. Le lieutenant George Grummond, qui commandait la cavalerie dégaina son sabre et exécuta l'ordre. A la tête de ses hommes qui se déployaient en éventail, il fonça au galop en direction d'une crête, laquelle, par la suite, devait recevoir le nom de " Colline du Massacre ".

Les fantassins, moins rapides, suivaient la même piste. Comme les cavaliers, ils dépassèrent le point limite désigné par le commandant du fort. Cachés sur les collines voisines, dans les forêts, les buissons et les rochers, les guerriers de Red Cloud et de Crazy Horse attendaient le signal de leurs chefs, pour déclencher l'attaque, en exécutant scrupuleusement les ordres reçus.

Pendant ce temps, des Minniconjoux sous la conduite de Thunder Hawk, des Cheyennes et des Oglalas sous les ordres de Ha Dog et de Lone Bear, se glissaient sans être repérés sur les flancs des Visages Pâles, avec l'intention évidente de resserrer sitôt derrière eux la boucle et de leur couper ainsi toute possibilité de retraite.

UNE MÊLÉE SANS ISSUE.

Brusquement les Peaux Rouges se démasquèrent en hurlant comme des forcenés. Le lieutenant George Grummond ordonna de faire demi tour et de tirer à bout portant sur les assaillants qui mitraillaient de toutes parts. Dès la première seconde, les hommes comprirent qu'ils étaient perdus et qu'ils n'avaient pas la moindre chance de s'en tirer. Ils étaient cernés par plus de 2 000 guerriers rouges déchaînés. Les carabines des cavaliers et les fusils à répétition des 2 civils furent plus efficaces que les mousquets des fantassins qui se chargeaient par le canon.

A un nouveau signal de leurs chefs les Indiens se ruèrent à l'assaut. Ce fut une mêlée sauvage et sanguinaire dont l'issue ne faisait aucun doute.

Quelques minutes plus tard, il ne restait plus un seul Blanc vivant. Les corps sanglants de William Fetterman et de ses 91 compagnons étaient étendus sans vie dispersés sur le terrain.

Lorsqu'il avait entendu les premiers coups de feu le colonel Henry Carrington dépêcha en renfort un petit détachement,

Fort Phil Kearny se dressait sur la fameuse Bonanza trail. La discipline y était relâchée et les hommes de la garnison buvaient sec.

Village indien sur les rives de la North Canadian river, en 1890. Beaucoup de camps, pareils à celui-ci, existaient déjà en 1866, au Wyoming.

L'AFFAIRE FETTERMAN

Le total des forces américaines dans les trois forts s'élève à 400 hommes : le nombre des Indiens varie de 3.000 à 5.000. **(1)** Fort Reno soit 55 miles (90 km) au sud-est de Fort Phil Kearny, a 1 canon et 3 compagnies d'infanterie. **(2)** Fort Phil Kearny : 4 canons, 5 compagnies d'infanterie. **(3)** Colline d'observation du Fort. **(4)** Piste Bozeman et South Piney-river. **(5)** Lieu où se font les coupes de bois. **(6)** Vers le pic Cloud. **(7)** Pic Cloud. **(8)** Vers le Fort Smith à 104 miles soit 156 km. 2 canons, 2 compagnies d'infanterie et 28 cavaliers, (l'infanterie est très souvent montée). **(9)** Lieu de campement des Indiens. **(10)** Les opérations du 6 décembre à la suite de l'attaque du convoi de bois par 300 Indiens. Les forces U.S. se partagent en 2 groupes : 30 hommes avec le lieutenant Grummond; 50 hommes avec le capitaine Fetterman. **(11)** Fetterman rencontre un groupe d'Indiens et ouvre le combat. **(12)** Un de ses officiers, le lieutenant Bringham, engage la poursuite. **(13)** Grummond accroche aussi les Indiens. Au cours du combat les cavaliers U.S. se dispersent dangereusement; sous la menace de son revolver, le lieutenant Wand réussit à regrouper ses hommes. **(14)** Le lieutenant Grummond poursuit un groupe d'Indiens. Il est rejoint par le lieutenant Bringham et ses hommes. **(15)** L'arrivée sur leur flanc de cavaliers indiens leur fait découvrir le piège où ils allaient tomber. **(16)** Ils rebroussent chemin. **(17)** Ils parviennent à leur échapper sauf le lieutenant Bringham qui est tué et scalpé. **(18)** Un autre groupe d'Indiens très nombreux, leur barre le chemin et les charge. **(19)** Les Américains font halte et tirent pour briser l'attaque puis s'échappent en chargeant. Un sergent-chef est tué. **(3)** A 8 h 30 le point d'observation signale l'attaque du train de bois. **(20)** Une trentaine d'Indiens dissimulés dans les buissons de la North-Piney river tirent sur le Fort. Le canon du Fort les oblige à battre en retraite. **(21)** Fetterman et 88 cavaliers reçoivent l'ordre d'aller dégager le convoi mais de rester toujours en vue du Fort. Fetterman accroche et poursuit 150 Indiens. **(22)** Malgré les ordres, il se laisse entraîner dans la vallée de la Piney river où les observateurs du Fort le perdent de vue. **(23)** Il est 11 heures, ils sont attaqués par des Indiens qui les attendaient là. **(24)** Au bout d'une heure de combat ils sont submergés par le nombre et massacrés jusqu'au dernier **(25)** La colonne de secours, forte de 45 hommes, arrivera trop tard et, devant la supériorité numérique de l'ennemi, attendra que celui-ci se retire, avant d'aller constater le désastre. **(26)** Les armes dont les Américains étaient équipés se chargeaient encore par le canon. **(27)** Après avoir tiré, on extrait le refouloir avec lequel il faut nettoyer le canon et la chambre d'explosion, des débris incandescents de la cartouche précédente. **(28)** On met la cartouche et sa balle dans le canon. **(29)** On bourre bien le tout dans la chambre d'explosion à l'aide du refouloir et on tire après avoir placé une capsule de fulminate sous le chien. Les meilleurs tireurs ne pouvaient tirer que 3 coups par minute. **(30)** Cartouche en papier avec la balle au-dessus. **(31)** Une amorce de fulminate. **(32)** Le célèbre chef indien Red Cloud qui réussit à soulever contre les Visages Pâles un nombre d'Indiens jamais atteint.

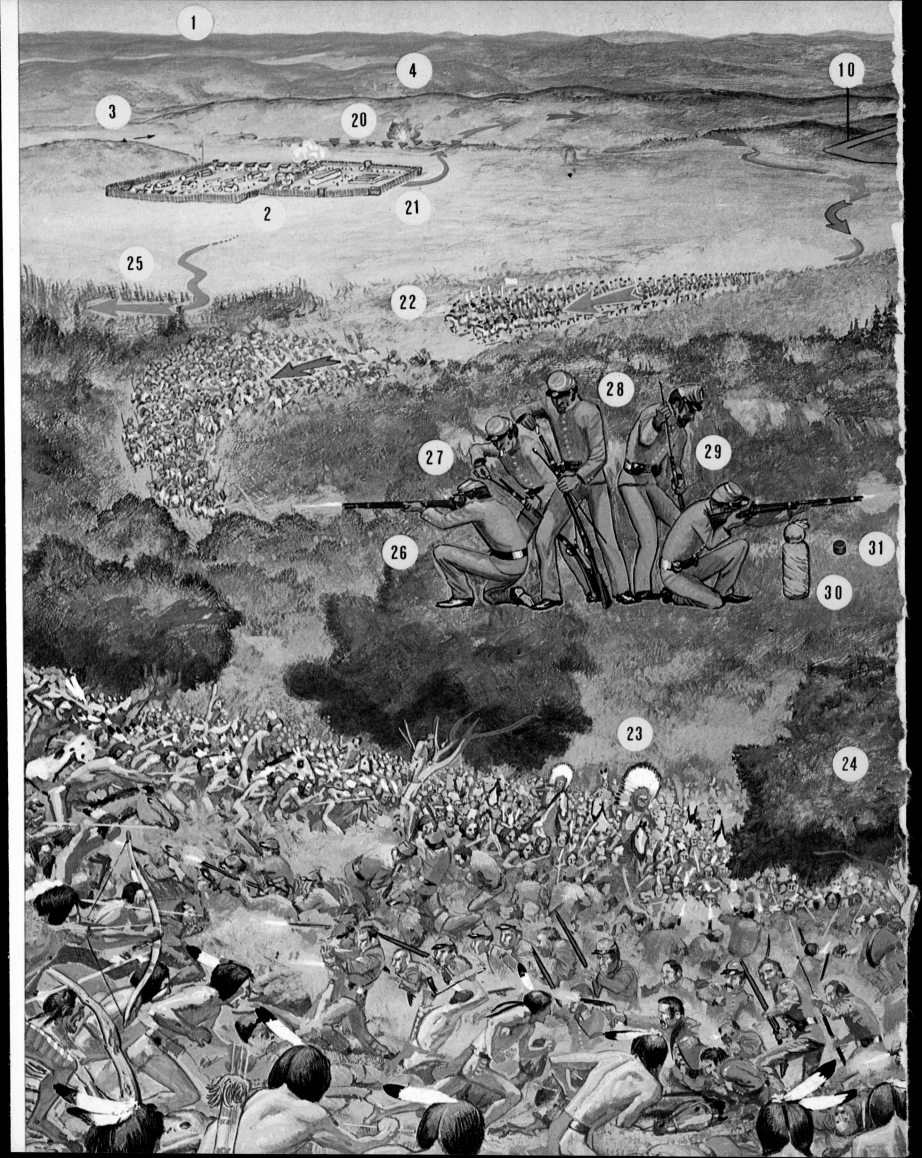

Indiens au combat, d'après un des plus célèbres tableaux de Frédéric Remington (collection du Gilcrease Institute de Tulsa Oklahoma).

Indiens des Plaines se livrant à des tortures sur leurs prisonniers.

Des cavaliers en patrouille découvrent des corps atrocement mutilés.

sous les ordres du captain Ten Eyck. Lorsque celui-ci arriva sur les lieux de la brève rencontre il n'y trouva que quelques Indiens qui s'empressèrent de disparaître. Un rapide examen des environs lui apprit que le lieutenant George Grummond et 10 de ses cavaliers avaient été scalpés. Un peu plus loin de là il découvrit les cadavres des captains William Fetterman et Brown et de 30 de leurs hommes. Les deux officiers avaient chacun reçu une balle en pleine tempe. Ils avaient gardé pour eux-mêmes leur dernière balle.

Le captain Ten Eyck poursuivit plus avant ses investigations quand l'apparition d'un groupe d'Indiens l'incita à battre prudemment en retraite. Sitôt de retour au fort, il fit le rapport de cette expédition tragique à son supérieur.

A dater de ce jour, les guerriers de Red Cloud et de Crazy Horse ne cessèrent de harceler la position. Chaque jour, ils tentèrent des assauts et la neige, qui s'était mise à tomber, favorisait leurs desseins.

A l'intérieur de Fort Phil Kearny, la situation était devenue de plus en plus critique. Chaque jour elle empirait. Le colonel Henry Carrington, redoutant une pénible extrémité, avait rassemblé les femmes et les enfants de la garnison dans la soute aux munitions avec la résolution de tout faire sauter si les assaillants devenaient les maîtres de la place.

LA CHEVAUCHÉE HÉROIQUE.

Appréhendant l'ultime attaque le commandant du poste chargea un de ses éclaireurs civils, John " Portuguese " Philip, qui mieux que quiconque connaissait toutes les pistes de la région, d'aller quérir du secours, à Fort Laramie, à plus de 230 miles dans le sud, presqu'à la frontière du territoire du Colorado.

Pour permettre à son messager d'entreprendre cette mission avec toutes les chances de succès, le colonel Henry Carrington lui donna le meilleur cheval de la garnison, le sien, une splendide bête qui avait été l'orgueil d'un des principaux haras du Kentucky. Les autres montures parquées dans les écuries n'étaient pas en état de fournir l'effort demandé. John " Portuguese " Philip fit ouvrir les portes du fort et

fonça au galop dans la nuit. Il parvint à traverser les lignes indiennes en déjouant la surveillance des guetteurs.

Brûlant les étapes, s'arrêtant à peine, il entreprit une course folle, par un temps épouvantable. En dépit de la neige qui tourbillonnait sans cesse l'aveuglant continuellement, il finit par atteindre Fort Laramie. Il avait réussi à exécuter l'ordre du colonel Henry Carrington. Il venait d'accomplir une fantastique chevauchée de plus de 345 kilomètres.

Lorsqu'il se présenta à la porte du fort, alors que la nuit était complète, devant la sentinelle qui n'en croyait pas ses yeux, son cheval harassé s'écroula sous lui, mort.

Il était juste minuit et c'était la nuit de Noël. Dans la salle de l'" Old Beblam ", le mess des officiers, toute la garnison, officiers et leurs épouses, dansait joyeusement. L'arrivée du messager qui ressemblait à un envoyé d'un autre monde causa une évidente surprise. L'orchestre s'arrêta, les danseurs cessèrent de valser et ce fut un impressionnant silence.

Des ordres retentirent et une colonne de secours fut formée. Elle devait arriver à Fort Phil Kearny après une route difficile et pénible, après avoir surmonté des difficultés sans nombre. Les hommes eurent à souffrir surtout des bourrasques de neige et certains eurent les pieds gelés.

Lorsque le détachement, après plusieurs jours de marche arriva en vue du fort, les alentours étaient déserts et c'était partout le silence. Chacun appréhenda le pire. Mais il n'en était rien. Les Indiens avaient abandonné le siège et leurs attaques et s'étaient repliés dans leurs campements d'hiver, sur les rives de la Tongue river.

Lorsque les hommes de la colonne de secours pénétrèrent à l'intérieur de Fort Phil Kearny, ils y découvrirent les survivants harassés de fatigue, affamés et grelottant de froid. Les vivres depuis longtemps manquaient et étaient sévèrement rationnés. Les derniers chevaux dans les écuries avaient dû être séparés les uns des autres, car ils cherchaient à s'entre-dévorer après avoir tenté de manger leurs harnais qui avaient été remplacés par des chaînes.

Les médecins qui avaient accompagné les sauveteurs eurent fort à faire.

Il y eut une enquête. Celle-ci déclara que depuis le 19 août jusqu'au 31 décembre, les Sioux et les Cheyenne avaient, aux abords immédiats de Fort Phil Kearny, tué 154 personnes, blessé 20 autres et capturé plus de 700 montures. Au cours de ces 5 mois, les Indiens avaient entrepris exactement 51 raids importants contre les positions des Visages Pâles.

Washington décidé à frapper les coupables, ordonna de pousser plus loin les recherches sur les responsabilités de l'incident, appelé désormais le " Massacre Fetterman ".

Le général William Tecumseh Sherman fut chargé de rétablir la paix.

DES SANCTIONS INJUSTES.

Le colonel Henry Carrington fut relevé de son commandement et envoyé en résidence surveillée à Fort Mac Pherson. Quelques semaines plus tard, il passa en conseil de guerre et fut accusé de négligence et d'incapacité. Il fut de plus établi qu'à Fort Phil Kearny régnait la plus grande licence. Les hommes s'adonnaient à de fréquentes beuveries et des squaws indiennes venues visiter les militaires pour commercer, repartaient avec d'utiles informations qui étaient aussitôt transmises à Red Cloud et Crazy Horse.

La sanction prononcée contre le malheureux officier fut des plus sévères. Il paya non seulement pour ses fautes personnelles, mais aussi pour celles du capitaine William Fetterman qui avait jugé bon de ne pas tenir compte de ses judicieux conseils de prudence.

Tandis que la cour martiale siégeait dans une garnison tranquille, la situation demeurait toujours critique au nord du Wyoming. En effet Red Cloud et Crazy Horse qui se révélèrent tous deux d'étonnants stratèges militaires ne cessaient de harceler tous les détachements de troupes entre Fort Phil Kearny et Fort C. F. Smith.

A Fort Laramie, en 1868, le général Sherman et plusieurs de ses officiers rencontrent une squaw de la délégation de Red Cloud.

Signature du traité de Fort Laramie. Le général Sherman (le second à droite du poteau) discute avec les délégués indiens assis devant lui.

RED CLOUD ET CRAZY HORSE ATTAQUENT A WAGON-BOX

Le combat de Wagon box, vu par un des meilleurs peintres de l'Ouest O.C. Seltzer.

Le commandement de Fort Phil Kearny, après la disgrâce du colonel Henry Carrington, fut confié au général H. W. Wessler jusqu'alors en garnison à Fort Laramie. Il arriva le 7 janvier 1867, à la tête de 4 compagnies du 18e US Infantry et d'un détachement de cavalerie, après avoir fait route en luttant contre le froid, la neige et le vent.

Red Cloud et Crazy Horse, rendus de plus en plus audacieux par leurs récents succès, se montraient d'une folle témérité. Leurs hommes harcelaient sans répit les forts Reno, Phil Kearny et C. F. Smith, répartis sur la Bonanza trail. Les garnisons, ne pouvant être ravitaillées, durent rationner les vivres et l'approvisionnement en eau. Fort Phil Kearny connaissait une situation encore plus critique que les deux autres bastions. Le ravitaillement fut confié à 2 hommes, Gilmote et Proctor, d'une entreprise civile qui chargea G. R. Porter de mener à bien cette difficile mission. Surmontant tous les obstacles G. R. Porter réussit ce qui était jugé impossible. Une fois arrivés à Fort Kearny ses hommes furent désignés pour la traditionnelle corvée de bois, la même qui avait été à l'origine de la malheureuse affaire Fetterman.

Le 31 juillet au matin, 16 lourds chariots bâchés quittèrent le fort pour gagner les forêts voisines. Cinquante et un hommes de la compagnie C. du 27e Infantry assuraient l'escorte. Ils étaient commandés par un officier de valeur, vétéran de la guerre de Sécession, le major James W. Powell. Celui-ci, rompu à la dure discipline de l'Ouest, était très aimé de ses hommes. Contrairement à William Fetterman, il refusait, en effet, de prendre pour ses soldats des risques inutiles. Le second officier était le lieutenant John G. Jennes.

Les fantassins étaient armés du nouveau fusil Springfield 50, qui, se chargeant par la culasse, pouvait assurer un tir très rapide. Sept cents de ces armes et une provision de 100 000 cartouches avait été livrées à Fort Phil Kearny.

Lorsqu'il se fut éloigné du poste, le convoi se scinda en 2 tronçons qui progressèrent parallèlement l'un à l'autre, atteignant, ainsi, sans encombre, un plateau proche de Big Piney creek, à l'ouest de Sullivan hill, à 5 miles du fort. Le détachement devait demeurer là plusieurs jours, le temps de permettre aux bûcherons de faire une ample provision de bois. Le major disposa ses troupes de façon à pouvoir répondre à toute attaque éventuelle. Tandis que des hommes arme au poing, escortaient les travailleurs jusqu'à la forêt, d'autres faisaient basculer sur le côté 14 des lourds chariots formant ainsi, en ovale, une étroite barricade avec à chaque extrémité une étroite ouverture. Contrairement à ce qui fut maintes fois déclaré par la suite aucune des voitures ne portait de blindage.

La première nuit et la journée suivante se passèrent sans le moindre incident, mais le second jour, à 7 heures du matin, l'alerte fut donnée. C'était le 2 août.

Le major James W. Powell qui sut démontrer ses qualités de stratège, lors de la rencontre avec les guerriers du grand chef sioux Red Cloud.

Deux des principaux adversaires du major Powell, les chefs indiens Red Cloud et American Nose qui durent capituler en dépit de leurs capacités.

Deux cents Indiens apparurent aux crêtes des collines voisines. Ils déferlèrent sur les pentes, cherchant à semer la panique parmi les chevaux et les mules parqués à l'intérieur du corral. Affolées, certaines bêtes s'enfuirent au galop.

En même temps, une autre bande de cavaliers indiens s'efforçait de couper la retraite aux bûcherons, qui se repliaient prudemment. Quatre civils furent blessés par des flèches ou des balles. Les autres, pris de panique, se mirent à courir dans toutes les directions. Les Indiens, alors, s'approchèrent de leur camp, bousculèrent les tentes, se livrèrent au pillage et allumèrent plusieurs incendies.

Le major James W. Powell se trouvait au centre de sa citadelle improvisée, prêt à répondre à toute provocation. Il avait avec lui trente et un de ses hommes et deux trappeurs, tous deux vétérans de la chasse aux ours. Par surcroît de précaution, l'officier recommanda à ses compagnons de se dissimuler sous des couvertures, afin d'empêcher les Indiens de se rendre compte de leur infériorité numérique.

LES INDIENS ATTAQUENT.

Les guerriers rouges semblèrent hésiter à attaquer. S'écartant à l'abri des rocailles, ils tinrent un véritable pow-wow. Le major profita de ce répit pour faire une rapide inspection afin de s'assurer que tous ses ordres avaient été exécutés. Il fit entasser en divers endroits des bidons d'eau pouvant être ainsi utilisés sans difficultés en cas de besoin. Il rejoignit le lieutenant John G. Jennes qui observait l'ennemi à la jumelle. Il scruta à son tour les collines bordant au nord, la Big Piney valley et y remarqua un important mouvement d'Indiens. Peu après les deux officiers découvrirent un autre groupe chevauchant de fringants poneys.

Tout en continuant à se restaurer le major et son second virent au second plan, un groupe de squaws et d'enfants, ce qui les fit augurer lugubrement de leur avenir, s'ils perdaient. Tout à coup, au haut d'une colline, parut Red Cloud, le front ceint d'une coiffure de guerre et brandissant une lance. Les Indiens se lancèrent à l'assaut. Mille yards, c'est-à-dire à peine un kilomètre, séparaient alors les deux adversaires. Lorsqu'ils ne furent plus qu'à 100 yards, les assaillants se déployèrent, formant autour du camp retranché un vaste mouvement tournant. Les militaires encerclés déclenchèrent un tir continu. Les Indiens subirent des pertes considérables mais n'en continuèrent pas moins leur ronde infernale. Toutes leurs attaques furent repoussées. Finalement, comprenant qu'il avait affaire à forte partie le chef indien Red Cloud n'insista pas et se replia.

Red Cloud ne décolérait pas. Il donna ordre à une centaine de cavaliers, qui avaient participé à la première attaque, et à un millier d'autres restés en réserve, d'attaquer les barricades devenues silencieuses. Après une courte progression, la moitié de cette troupe se tint à l'abri dans un ravin en avant de la Big Piney valley. Le reste avec beaucoup de précautions, s'approcha à moins de 90 yards au nord des positions ennemies. Une attaque soudaine amena les assaillants jusqu'aux premiers chariots renversés. Mais les Springfield, à nouveau entrèrent en action. Une seconde fois, les assaillants désorientés, durent battre en retraite.

UNE DÉFENSE HABILE.

Les défenseurs du corral purent reprendre leur souffle. James W. Powell constata alors que le lieutenant John G. Jennes avait été tué. Morts également, Tommy Doyal et le private Hank Hagerthy, lequel avait tenu le coup en dépit d'une sérieuse blessure à l'épaule.

Venant de divers incendies, une fumée envahissait le camp. Plusieurs caisses de munitions furent atteintes par les flammes et explosèrent. Les fonds des chariots, du côté exposé à l'ennemi, étaient criblés de flèches et de balles.

La troisième attaque ne se fit pas longtemps attendre. Refusant de suivre les conseils de prudence de Crazy Horse et de plusieurs autres chefs, Red Cloud ordonna à ses guerriers de foncer droit devant eux. Une fois encore, la poignée d'hommes qui défendait le corral soutint leur assaut et les repoussa en leur infligeant de très sérieuses pertes.

Les hommes de Red Cloud tentèrent l'impossible et luttèrent avec l'énergie du désespoir jusqu'au moment où ils se replièrent en débandade.

Tandis que les captains et leurs camarades se tenaient sur un prudent qui-vive, un certain nombre de soldats utilisant les réserves d'eau se mirent à éteindre les foyers d'incendie.

Les cavaliers rouges disparurent au-delà des crêtes des collines voisines, laissant derrière eux les hommes désarçonnés ou blessés qui, eux aussi cherchèrent à se mettre à l'abri. Il n'y eut pas de nouvelle attaque. Le combat de Wagon Box était terminé. Pendant 6 heures, les hommes du major James W. Powell avaient tenu tête à 3 000 guerriers sioux, cheyennes et arapahoes. Au cours de ce combat, les militaires avaient mis hors de combat 800 de leurs adversaires. Parmi ceux-ci se trouvait le neveu de Red Cloud.

Les militaires n'avaient que des pertes insignifiantes : 3 morts et 2 blessés. Leur courageuse attitude, ramena pour un temps le calme sur la Bonanza trail.

Dans l'Ouest, les troupes devaient surmonter des difficultés sans nombre. Voici un détachement militaire regagnant sa garnison à Fort Fetterman.

Les Indiens, habiles cavaliers, savaient mieux que quiconque opérer dans la plaine. Sans cesse, ils dressaient aux éclaireurs des embuscades.

AGON BOX

Carte en bas à gauche : (1) Q.G. composé de caisses (wagon-boxes) des chariots. (2) Principal chantier de coupe situé en vue du Q.G. à 1,6 km. (2 bis) Autre chantier de coupe hors de vue du Q.G. à 800 mètres. (3) Deux sentinelles. (4) Ravin situé à 300 mètres du Q.G. (5) Pâturage des bêtes dans la journée. (6) Le Fort Kearny est à 8 kilomètres environ. (7) En se baignant le matin dans la rivière, la major Powell aperçoit les Indiens et retourne au Q.G. donner l'alerte. A 7 heures attaque des Indiens : (8) ils mettent en fuite le troupeau. (9) Le chantier n° 1 est attaqué. (10) Attaque du chantier n° 2, quelques Américains tentent de rejoindre le Q.G. (11) Avec 15 hommes, le major Powel vient à leur rencontre. (12) La colline d'où va partir l'ensemble des attaques. (13) Le Q.G. et son enceinte de wagon-boxes. (14) Quatorze wagons sans roues. (15) Wagon, avec ses roues, chargé de vivres. (16) Wagon, avec ses roues, chargé d'armes, fermant l'accès de l'enceinte. (17) Caisses de munitions disposées de place en place. (18) Après la guerre de Sécession un stock énorme de fusils Springfield à chargement par le canon se trouve vacant mais dépassé par le progrès. Allin, un ingénieur armurier, a l'idée de les récupérer en les transformant. (19) Schéma de transformation du Springfield 65. (20) Partie de l'ancien canon supprimée. (21) Mise à feu par capsule fulminate. (22) Dessin simplifié du nouveau système vissé sur l'ancien canon. (23) Le chien frappe le percuteur qui fait partie du nouveau dispositif basculant. La cartouche est en cuivre avec capsule de fulminate incorporée (nouveauté également). (24) Feu provo-

qué par les flèches incendiaires. (25) Afin de protéger les chariots, des palissades sommaires ont été installées. (26) Chariot d'armes. (27) Caisse de munitions. (28 et 38) Flèches incendiaires. (29) Chaque tireur vient se ravitailler en cartouches. (30) Afin de dissimuler le nombre dérisoire de ses hommes, le major Powell fait mettre des couvertures sur les wagons. (31) Chaque homme dispose de 3 Springfields qu'il laisse refroidir à tour de rôle. (32) Pour ne pas tomber vivants aux mains des Indiens (à cause des tortures) certains hommes ont prévu de se tirer une balle dans la tête à l'aide de cette ficelle dont une extrémité sera accrochée à la gachette au moment voulu. (33) Chaque soldat dispose d'un Colt. (34) Une gourde pleine d'eau pour refroidir les armes trop brûlantes. (35) Le major Powell a fait percer des meurtrières dans les parois des wagons. (36) Parmi les 31 hommes il y a deux trappeurs équipés d'armes nouvelles à répétition. (37) Le Henry à chargement par le tube du bas, et qui deviendra bientôt la Winchester. (38) Indiens et Américains se distinguent à peine à travers l'épaisseur de la fumée et de la poussière. (39) Le major Powell. (40) Chantier principal. (41) Les trois phases du combat : 1° attaque des cavaliers. (42) 2° attaque à pied. (43) Le ravin par lequel attaqué le groupe le plus important. (44) 3° Attaque conjuguée des cavaliers et des guerriers à pied. (45) Colline où les Indiens se rassemblent. (46) Point où se tient Red Cloud. (47) Récupération de blessés par cavaliers. (48) Indien attachant une corde à un blessé. (49) Indiens récupérant le blessé en tirant la corde. (50) 700 Indiens périrent.

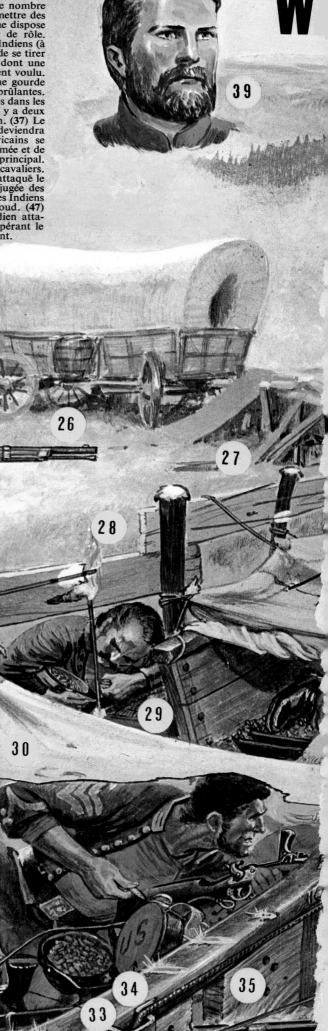

Trop ambitieux, le général George Armstrong Custer, ennemi irréductible des Indiens, commit délibérément plusieurs maladresses très regrettables.

Le chef cheyenne Black Kettle tenta, mais en vain, de vivre en bonne intelligence avec tous les Visages Pâles. Il paya sa confiance de sa vie.

SAND CREEK ET WASHITA

Avant de parler du massacre de Washita, qui fut perpétré le 27 novembre 1868, il importe de revenir de quatre années en arrière, le 29 novembre 1864, à la déplorable affaire de Sand Creek.

A cette époque, dans la région de Denver, capitale du Colorado, la paix semblait être établie. Les Cheyennes et les Arapahoes vivaient en bonne intelligence avec les Blancs. Les femmes et les enfants s'approchaient des lieux habités par les Visages Pâles, tandis que les hommes s'en étaient allés faire la guerre contre les Utes.

En 1861, un traité fut signé avec les Indiens, les dépouillant de leurs terres, pour permettre le passage d'une voie ferrée. Les chefs peaux-rouges protestèrent, alléguant avec juste raison que le " cheval de fer " allait éloigner les hardes de bisons nécessaires pour leur subsistance.

Au printemps 1864, le Révérend John M. Chivington, qui était à la fois un prédicateur méthodiste et le colonel du 1er régiment de Cavalerie du Colorado assura que les Indiens avaient dérobé plusieurs chevaux de l'armée.

En juin de la même année, un fermier Nathan P. Hungate, sa femme et ses deux fillettes furent massacrés dans leur ranch par des Indiens. Leurs corps mutilés furent transportés à Denver et exposés dans un théâtre. La population de la ville vécut alors dans l'angoisse. On créa un nouveau corps, celui du 3e de Cavalerie du Colorado, avec des volontaires qui signèrent un engagement pour 100 jours seulement. Cette unité fut placée sous le commandement du colonel George L. Shoup, qui devait devenir gouverneur de l'Idaho.

Le 29 août, l'agent des Affaires Indiennes à Fort Lyon, dans l'Arkansas, à 150 miles au sud est de Denver, reçut un message de Black Kettle, le chef des Cheyennes, qui, désirant conclure une paix durable, demandait à être entendu. Les Visages Pâles retenaient captifs 3 Cheyennes et 2 Arapahoes. Ils déléguèrent à Fort Lyon, le major E. W. Wynkoop pour s'assurer de la sincérité du chef indien, qui fut alors invité à se rendre à Denver.

Le gouverneur du Colorado, John Evans exigea, par ailleurs, la soumission complète des guerriers de Black Kettle et déclara que tant qu'ils ne se seraient pas exécutés l'état de guerre subsisterait.

Black Kettle qui avait été reçu par le colonel Chivington, à Denver, rentra dans son village à Sand Creek, à 35 miles au nord ouest de Fort Lyon. Les 4 Blancs détenus par les Indiens furent remis en liberté. Par contre, le major Wynkoop ne libéra pas les siens, espérant obtenir davantage au cours de nouvelles conversations. Son chef, le général Curtis, furieux, le releva de son commandement.

Depuis deux mois le colonel Chivington rongeait son frein. Il voyait approcher la date de l'expiration des engagements des volontaires du 3e de Cavalerie. Un matin, il désigna 6 compagnies, qu'il arma de 2 howitzers et prit la piste par un temps

Un détachement du célèbre 7e de Cavalerie, sous les ordres de Custer, se préparant à entreprendre une expédition dans les Black Hills.

épouvantable. Il progressa aussi vite que possible craignant que sa présence fût signalée à Black Kettle.

Le 29 novembre, il attaqua par surprise le camp de celui-ci installé à Sand Creek, sur un affluent de l'Arkansas river. Le jour se levait à peine, lorsque les assaillants se précipitèrent, sur les femmes et les enfants sortant des tipis.

Black Kettle, très digne, s'avança à la rencontre des militaires, tenant d'une main un drapeau américain et de l'autre un fanion blanc.

Au mépris des lois humaines, les assaillants ouvrirent le feu. La femme du chef cheyenne fut atteinte et s'écroula sur le sol. Elle reçut des blessures graves, mais ne mourut pas. Black Kettle proposa de battre en retraite. Le vieux chef White Antelope refusa et se tint debout à l'entrée de son tipi, les bras pendants. Il entonna un chant de mort " Rien n'est immortel, si ce n'est le cœur de nos montagnes! ". Il chanta jusqu'au moment où, criblé de balles, il s'affaissa sur le sol et rendit le dernier soupir. Il avait 70 ans.

Le village devint le théâtre de brutalités inimaginables. Les enfants eurent la tête fracassée contre des pierres, des squaws furent éventrées à coups de bowie-knives et les chefs mis à morts, dépouillés de leurs scalps. Sur 800 Indiens, 150 restèrent sur le terrain. Le colonel Chivington, de retour à Denver, se vanta de son exploit, déclarant qu'il avait mis hors de combat 800 Cheyennes. L'opinion publique fut indignée. On ordonna une enquête, qui aboutit à la destitution du colonel.

A la faveur de la nuit, les rescapés de l'horrible carnage avaient réussi à s'échapper en suivant les vallées des Kansas et Smoky Hill rivers.

Le 7 janvier 1865, les hommes de Black Kettle attaquèrent un détachement de cavalerie de l'Iowa à Camp Rankin. Ayant été repérés l'alerte fut aussitôt donnée à Julesbourg. L'état de guerre qui subsista dans la région pendant de longs mois coûta trois millions de dollars au trésor américain.

UNE INQUALIFIABLE TUERIE.

Et ce fut en novembre 1868, l'atroce massacre de Washita. Il y avait parmi les Cheyennes des chefs valeureux qui avaient été à l'école de White Antelope. L'un d'eux était Little Wolf. Il y avait aussi un sang mêlé cheyenne-blanc, un gaillard de près de 2 mètres du nom de Bat, mais que les Visages Pâles appelaient American Nose. Il refusait de se servir d'une cuiller ou d'un couteau pour manger ses aliments. Au cours de l'été 1868, ayant été l'invité de plusieurs chefs sioux, il prit un morceau de pain, en le piquant avec une fourchette de métal. Le lendemain, alors qu'il se préparait à tendre une embuscade à 50 coureurs de pistes chevronnés, il déclara, en montant en selle " — Aujourd'hui sera le dernier jour de ma vie! Je serai tué! ". Dès le début de la rencontre, il fut atteint par une rafale. Transporté au camp indien, il rendit le dernier soupir au crépuscule.

Black Kettle de son côté ne désespérait pas de pouvoir établir entre les siens et les Blancs une atmosphère de paix. Le général Sheridan, qui avait été nommé au Missouri, déclencha une violente campagne contre les Indiens hostiles. Parmi ses officiers, se trouvait le lieutenant-général George Armstrong Custer, qui venait de passer en cour martiale pour insubordination. Custer avait connu la popularité à la fin de la guerre de Sécession. De retour d'une patrouille, il était tombé sur le général Robert Lee venant faire sa soumission au général Ulysse Grant. Il l'avait alors escorté jusqu'au quartier général nordiste.

Réintégré auprès de Sheridan, mais avec un grade inférieur, Custer se faisait appeler général, selon son ancien grade. Il portait par ailleurs un uniforme très fantaisiste.

Conduit par un éclaireur, California Joé, George A. Custer

Le tableau de Charles Schrenvogel, « Attaque à l'aube », reconstitue assez fidèlement l'opération de Custer sur le camp de la Washita river.

donna ordre à ses hommes de foncer sur le village indien et de n'épargner personne. Le clairon entonna le " Garry Oven ", l'air préféré du régiment. En quelques instants tous les hommes furent tués, les femmes et les enfants, parqués comme des bêtes, furent emmenés prisonniers. Cent trois guerriers rouges et 38 vieillards, femmes et enfants gisaient sur le terrain. Black Kettle, qui jusqu'au bout avait cru pourtant à la mansuétude des Visages Pâles, était parmi les morts. Les camps arapahoes, kiowas et comanches des environs alertés envoyèrent des renforts qui, hélas, arrivèrent trop tard.

George A. Custer, satisfait, se replia. Washington alerté par l'opinion publique ordonna une enquête et fit passer le lieutenant-colonel en conseil de guerre.

L'odieux massacre de Washita accrut encore davantage la haine de certains chefs peaux-rouges contre les Blancs.

La troupe américaine fut sans cesse harcelée par des attaques indiennes, souvent opérées par surprise, et qui causèrent de nombreuses pertes.

L'attaque et la destruction d'un camp d'Indiens est l'objectif favori de l'armée américaine. Le succès d'une telle opération assure la paix et le contrôle de la tribu, au moins dans l'année à venir. C'est la seule façon d'atteindre vraiment un ennemi qui, autrement, demeure insaisissable. **(1)** L'unité de cavalerie à qui ce travail est dévolu met tout en œuvre pour attaquer par surprise à l'aube. Elle se divise en plusieurs détachements afin d'attaquer sur plusieurs points à la fois et créer le désordre chez l'ennemi. **(2)** Tous les biens des Indiens sont détruits, les tipis sont incendiés ainsi que les réserves de nourriture privant les Indiens de viande de bison, leur seule provision pour passer l'hiver. **(3)** Les Indiens, privés de gîte et de nourriture au début de l'hiver, se voient réduits à se soumettre aux volontés des Américains. **(4)** Les Indiens nomment « les longs couteaux » les soldats de la cavalerie américaine à cause de leur sabre. **(5)** Fanion du 7e régiment de cavalerie américaine commandé par le Général Custer, spécialiste de ce genre d'attaque. **(6)** Le Colt barillet à six coups,

l'arme favorite du cavalier. **(7)** Le fusil dans sa housse pour combattre à pied. **(8)** La troupe se délestait habituellement de son équipement de camp hormis ses armes, avant d'attaquer. **(9)** Un objectif important : les chevaux des Indiens, qui sont capturés ou massacrés. **(10)** L'Indien blessé reste très dangereux car il combattra jusqu'à la mort. **(11)** Cet Indien tente de s'enfuir dissimulé derrière son cheval, tandis que son compagnon est atteint d'une balle dans le dos. **(12)** Les femmes et les enfants ne furent pas toujours épargnés. **(13)** Indien équipé d'un vieux fusil se chargeant par le canon. Quand les Indiens combattirent à armes égales, ils furent de très redoutables adversaires souvent victorieux. **(14)** Même surpris et fuyant, l'Indien n'oublie jamais ses armes. **(15)** Dès qu'il trouve un abri il fait front aussitôt. **(16)** Les Camps indiens installés le plus souvent près d'une rivière pouvaient couvrir plus de vingt cinq kilomètres (Wichita). **(17)** Il arrivait qu'un détachement de cavalerie se fasse massacrer, non loin du reste de la troupe, sans pouvoir être secouru.

LA VIE D'UN RANCH

Dans les vastes plaines de l'Ouest, les ranchmen trouvèrent des prairies immenses et des troupeaux sauvages qui se laissèrent facilement domestiquer. Ainsi, une nouvelle industrie, était née aux Etats-Unis.

Les descendants des chevaux amenés d'Espagne par les Conquistadors furent capturés au lasso. Amenés dans les «corrals», ils furent soumis à un entraînement rigoureux. Mais ce n'était pas toujours chose facile.

Lorsque les premiers pionniers s'installèrent dans l'Ouest, ils y menèrent tout d'abord une existence rude et sans confort. Ayant arrêté leur caravane dans une vallée qui, par son emplacement et la qualité de son sol, répondait à leurs espérances, ils commencèrent par défricher et à construire de rustiques cabanes qui, bientôt firent place à des habitations plus importantes et plus solides, afin de supporter les rigueurs du climat et résister aux intempéries.

Ils s'installèrent de préférence à proximité d'un point d'eau, d'une source ou d'une rivière, car ils devaient penser au ravitaillement en eau de leurs futurs troupeaux. Ces premiers colons furent, pour la plupart, des éleveurs de bétail. Les bêtes à l'état sauvage, abondaient dans les vastes plaines voisines. Les fermiers, qui préféraient la culture, moins nombreux, ne se manifestèrent que beaucoup plus tard.

Les nouvelles demeures construites, soit en rondins soit en pierre, reçurent le nom de " ranch " adaptation nouvelle du mot mexicain " rancho ", qui voulait dire habitation.

Dans le sud en Arizona et au Nouveau Mexique, sur les bords du Rio Grande, ces demeures étaient faites en " adobe ", c'est-à-dire en boue séchée mélangée à de la paille hachée.

Les premiers ranches, faits de 4 murs surmontés d'un toit, ne comprenaient qu'une seule pièce, dans laquelle devaient vivre tous les occupants. Les hommes étaient d'un côté, les femmes de l'autre, séparés par une couverture fixée sur une corde. Les lits étaient alignés le long du mur et ceux des hommes étaient surmontés d'une étagère et d'une patère pour permettre aux garçons de ranger selle, harnais, lasso et affaires personnelles.

Dans un coin de la pièce, il y avait un foyer, fait de grosses pierres, qui servait à la préparation des repas. L'hiver, le feu brûlait continuellement pour entretenir une température clémente. Au centre, il y avait une très longue table entourée de fauteuils rustiques de bancs et de "rocking chairs".

A DROITE : **Les femmes dans les ranches n'hésitaient pas à s'habiller en hommes pour se livrer à de rudes travaux. Ainsi elles conquirent l'Ouest.**

Un cow-boy spécialiste du dressage des « broncos » chevaux sauvages et rétifs. Il porte les chaps de cuir et tient à la main le lasso ou « larriat ».

EN DESSOUS : **Trois garçons du Montana. Deux d'entre eux, ceux de droite, portent les fameux chaps de la région, avec les poils de mouton.**

Typical Cow
Western Car

LES RANCHMEN S'ORGANISENT.

Mais, par la suite, les domaines prenant, chaque jour, de l'importance, les grossières cabanes du début firent place à des ranches plus spacieux et mieux répartis. Il y eut plusieurs pièces. Les femmes eurent la leur et les hommes s'en furent dans un dortoir plus vaste, installé dans un local spécial appelé " bunk-house ".

La cuisine fut aussi transportée dans un réduit tout proche tandis qu'aux alentours du bâtiment principal s'élevaient des granges, des hangars avec un côté en plein vent et une réserve à outils. Très souvent, il y avait une éolienne juchée sur sa tour métallique qui inlassablement tournait au vent pour remplir les bassins d'eau. Si le fermier était habile, il disposait d'une forge et s'il était généreux, près de la cuisine, se trouvait un bar où les garçons pouvaient se ravitailler en gin et en bourbon.

Il n'y avait pas d'étables, les troupeaux restant, été comme hiver, dans les immenses pâturages. On les changeait seulement de vallée pour mieux les protéger du vent et de la neige. Seuls les chevaux étaient parqués dans des enclos appelés " corrals ". Ils y étaient amenés, après avoir été capturés au lasso et, aussitôt, leur dressage commençait. Les garçons qui n'étaient pas retenus dans les prairies par les exigences du travail ne manquaient pas d'assister à ce spectacle assis sur les clôtures, et faisaient des pronostics. Les bêtes rétives étaient appelées " broncos " et les plus vicieuses " killers ".

Le propriétaire du ranch était assisté d'un contremaître, le " foreman ", qui jouissait d'une très grande autorité et qui répartissait tout le travail entre les équipes. Celles-ci besognaient dur et, souvent, les garçons restaient en selle de longues heures et parfois même pendant des jours entiers.

On place un étroit conduit. Un premier mouton passe. Les autres suivent.

Des spécialistes visitent les ranches et procèdent à la tonte des moutons.

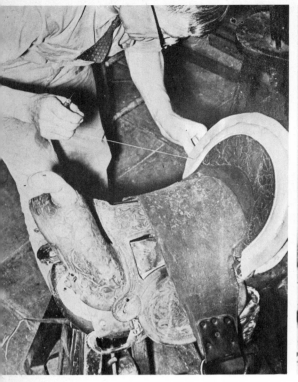

La vie quotidienne dans un ranch est faite de mille occupations. Chacun a un travail bien défini. L'un est chargé de réparer les selles; un autre vérifie les fers des chevaux. Mais l'homme le plus apprécié est certainement le cuisinier.

La tenue des cow-boys était adaptée aux besoins du travail. S'inspirant de celle des " gauchos " d'Amérique du Sud, elle consistait en une chemise de laine de couleur vive. Le pantalon était un "blue jean" en forte toile, imaginé par un émigrant du nom de Levi Strauss. Les bottes, montant à mi-jambes, avaient un bout étroit afin de pouvoir sortir de l'étrier et un talon assez haut permettant à l'homme de la ficher en terre lorsqu'il maniait le lasso au sol. Le chapeau dit " Stetson " avait des formes diverses et était en feutre épais. Certains, faits en poils de castor, étaient de qualités diverses, indiquées par une succession de X. Autour du cou, le cow-boy portait un foulard de couleur voyante, la " bandana " qu'il utilisait en recouvrant son visage, pour se protéger du vent et du sable. Les ceintures en cuir étaient finement décorées et les boucles souvent ornées de pierreries, des turquoises généralement. Par dessus le pantalon se trouvait une autre ceinture, également en cuir repoussé soutenant sur un côté, parfois sur les deux, les étuis à revolver, "holsters ", elle était garnie de nombreuses balles.

L'opération du « branding » est un événement. Tout le ranch y participe.

DES GARÇONS ÉLÉGANTS.

Lorsqu'ils chevauchaient dans la plaine, ils portaient par dessus leurs pantalons une sorte de tablier en cuir, le " chaps " d'après le mot espagnol " chaparejos ". C'était là une pièce de vêtement indispensable pour se protéger des piqûres des cactus et des buissons épineux. Autrefois, dans le Montana, les chaps étaient faits en cuir de mouton avec leurs poils. Ils donnaient aux gars une fière allure. Aujourd'hui, ils sont devenus introuvables et de véritables pièces de collection.

Armés pour se défendre contre les maraudeurs et les bêtes sauvages, les cow-boys avaient une préférence pour les " Colt " et les " Smith and Wesson ". Leur armement se complétait par une " Winchester " placée, dans son étui, le long de la selle. Celle-ci, d'un modèle bien particulier inspiré par les " vaqueros " mexicains, avait en avant un pommeau dit " horn ", autour duquel ils enroulaient leur lasso, lorsqu'ils avaient capturé une bête rétive. Les étriers, larges pour permettre au cavalier de se libérer rapidement en cas de chute, étaient recouverts de motifs en cuir finement repoussé, les " tapaderos " appelés plus familièrement " taps. "

Les hommes des ranches étaient d'une très grande habileté au maniement du lasso ou " larriat ", assez proche des " bolas " des cavaliers argentins.

Les cow-boys restaient de longues heures en selle. Aimant cette existence solitaire, en pleine nature, ils avaient pour leurs montures une affection sans limite. Démunis d'argent, ils vendaient plus facilement leur selle, pourtant indispensable à leur travail, que leur monture. C'était la mort dans l'âme que les braves garçons abattaient d'une balle dans la tête leur fidèle compagnon arrivé au bout de la piste.

Dans la petite communauté, un homme avait une place prépondérante, c'était le cuisinier, le " cooky ", lequel souvent se contentait de faire toujours le même menu, du lard avec des haricots. Dans les prairies et sur les pistes le cooky opérait avec un chariot spécialement aménagé, le " chuck-wagon ", et il appelait les garçons en frappant sur un triangle de métal.

Parfois ce cuisinier était un Chinois qui, ne boudant pas l'ouvrage, faisait également office de blanchisseur.

UNE SOURDE RIVALITÉ.

Les éleveurs de l'Ouest étaient divisés en deux clans. — Il y avait les " cattlemen ", dont les troupeaux étaient composés uniquement de bœufs ou de chevaux. Les vaches dites " long horns " descendaient des premières bêtes importées d'Andalousie du temps des Conquistadors. — Il y avait les " sheepherders ", spécialistes du mouton. Beaucoup de ceux-ci employaient des émigrés basques, français et espagnols, qu'ils considéraient, avec juste raison, comme les meilleurs spécialistes. Beaucoup des descendants des premiers bergers basques sont aujourd'hui de riches propriétaires au Nevada et au Montana. Entre les deux clans, une sourde rivalité existait. Les premiers accusaient les seconds de détériorer leurs terres en y faisant passer les troupeaux. Les moutons en effet arrachaient l'herbe au lieu de la couper. Lorsqu'ils étaient passés, c'était derrière eux un immense désert. Il y eut de nombreuses querelles, et une véritable guerre opposa, pendant de longs mois, cattlemen et sheepherders, au Montana. Un autre motif de bagarre fut l'utilisation par certains propriétaires de fils de fer barbelés pour clôturer leurs terres et empêcher les intrus de pénétrer chez eux. Les troupeaux devant donc faire de très grands

détours, les convoyeurs sectionnèrent les barbelés, ce qui déclencha une vive riposte de la part des propriétaires des prairies.

Les bêtes errant dans les immenses prairies ne cessaient de proliférer. On rencontrait des troupeaux groupant plus de 5 000 têtes. Il était difficile de reconnaître à qui elles appartenaient. Pour discerner les bêtes d'un ranch de celles d'un autre, on imagina de les marquer. Ce fut le " brand " qui consistait en une marque faite au fer rouge, le " branding iron ", sur le flanc de chaque animal. Certains éleveurs préférèrent marquer leurs bêtes, en faisant une entaille à l'une de leurs oreilles. Chaque ranchman avait ainsi sa marque personnelle qui était enregistrée officiellement. Les " rustlers " ou voleurs de bestiaux s'empressaient de les maquiller. Malheur à eux s'ils étaient découverts et pris. Ils étaient immédiatement pendus, car dans l'Ouest le vol de chevaux ou de bœufs était puni de mort.

Il y eut au Texas un homme qui refusa de se soumettre à la loi du branding. Il s'appelait Samuel Maverick. Il partit faire la guerre de Sécession dans les rangs des Sudistes. Quand il revint chez lui, de nombreuses bêtes sans marque erraient dans la prairie. Ses voisins déclarèrent que bon nombre d'entre elles leur appartenaient et qu'étant partis eux aussi faire la guerre, ils n'avaient pu les marquer. Samuel Maverick plaida et le tribunal lui donna raison. Il acquit ainsi la notoriété car depuis ce jour on appelle " Maverick " tout animal ne portant ni brand, ni entaille.

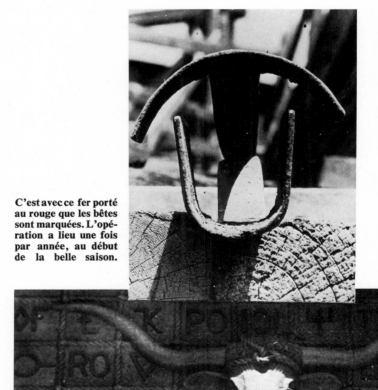

C'est avec ce fer porté au rouge que les bêtes sont marquées. L'opération a lieu une fois par année, au début de la belle saison.

DEDICATED TO THE PIONEERS

LE RANCH

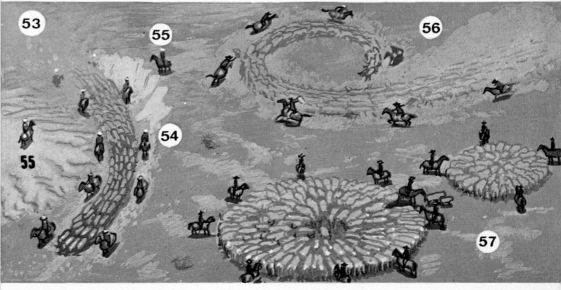

L. Murtin

(1) Eolienne. (2) Réservoir d'eau. (3) Abreuvoir. (4) Bâtiment d'habitation. (5) Rocking-chair. (6) Baignoire en zinc. (7) Maison en pisé. (8) Maréchal-ferrant. (9) Chevaux encerclés par des lassos tenus bout à bout par des hommes, (10) tandis qu'un autre (11) choisit son cheval en le capturant au lasso. Ce système appelé « Remuda » n'est utilisé qu'en pleine campagne. (12) Corral. (13) Entrée. (14) 1re enceinte. (15) 2e enceinte. (16) Cow-boys rabattant les jeunes à marquer, vers la 2e enceinte. (17) Homme chargé de fermer la porte après chaque passage. (18) Jeunes sujets à marquer. (19) Le cow-boy remorque lentement sa prise pour le marquage. (20) Pendant que le cheval tient ferme sur place, son cavalier va maîtriser le veau qu'il vient de prendre au lasso. (21) Le marquage. (22) Aides maintenant immobile le veau à marquer. (23) Les fers pour le marquage doivent être portés au rouge. (24) Un cow-boy s'apprête à capturer une bête qui est parvenue à se glisser dans la 2e enceinte. (25) Marques en pendeloque faites au couteau. (26) Taille des oreilles et des fanons. (27) Marques au fer. (28) Marque oblitérée d'un propriétaire précédent. (29) Marque du nouveau proprié-

taire. (30) C
ustensiles de
tériel de cou
mite hollan
(39) Ouvert
annonçant l
lard se raba
(44) Poignet
(46) Bottillo
appelées :
les premie
boy du no
(54) en dé
fuyards, l
contrôler
Les vaches

LA PISTE
VERS ABILENE

Les troupeaux suivirent pendant de longs mois une piste interminable.

L'Ouest conquis, il ne restait plus aux pionniers qu'à s'y installer et en exploiter les richesses. De nouveaux états furent créés. Leurs frontières, parfois, suivaient le cours capricieux d'une rivière, mais le plus souvent les hommes ne s'embarrassaient pas pour si peu. Sur l'immense carte des Etats-Unis d'Amérique, ils traçaient des lignes qui se coupaient à angle droit, permettant ainsi aux écoliers de reproduire les cartes sans nulle peine.

Au Nord, de vastes forêts s'étendaient à perte de vue sur d'immenses territoires en bordure de la frontière du Canada. C'était là une réserve de chasse extraordinaire et un stock inépuisable de bois. A l'Ouest, dans les Montagnes Rocheuses, les minerais de toutes sortes abondaient, tandis que le Sud offrait aux ranchmen, cultivateurs et éleveurs, d'immenses plaines fertiles et nombre de points d'eau.

Ainsi, au Texas, les troupeaux étaient nombreux et le cheptel ne cessait de croître et de s'améliorer.

Par contre, au Kansas, la viande était rare et l'approvisionnement difficile. Le chemin de fer du " Kansas Pacific RR " avait prolongé ses lignes jusqu'à la petite ville d'Abilène. Or c'était à Abilène que les principaux acheteurs des abattoirs de Chicago venaient faire leur choix.

Il importait donc de faire venir du Sud de très nombreux troupeaux. Ce n'était pas une petite affaire. Il fallait traverser des régions difficiles, franchir plusieurs rivières aux cours impétueux et cependant des hommes entreprirent l'extraordinaire aventure.

De nombreuses pistes furent créées : les pistes du bétail. La plus célèbre de toutes est la Chisholm qui partant des environs d'Austin, la capitale du Texas finit par atteindre

Le convoi est arrivé à Dean's crossing, sur les berges de la célèbre Red River. Les difficultés vont commencer. Le passage ne sera pas facile.

La rivière a été franchie non sans peine. Les bêtes sont rassemblées sur la rive. On procède au rassemblement avant de reprendre la route.

enfin Abilène, nœud ferroviaire de première importance au Kansas. Cette piste porte le nom d'un fameux marchand de bétail, Jesse Chisholm, moitié Visage Pâle, moitié Cherokee; qui, mieux que quiconque connaissait les sentiers de la prairie et tout particulièrement ceux aux abords de l'Indian Territory, le futur Oklahoma.

Certains assurent que le véritable promoteur de la piste fut en réalité John Chilsum. D'autres encore prétendent que le premier qui s'aventura en direction de la Red River et qui finit par atteindre sans encombre Abilène fut un certain Oliver W. Wheeler, originaire de la Nouvelle Angleterre et associé dans l'entreprise avec les nommés Wilson et Hicks. Escortant un important troupeau, les trois hommes parvinrent sans encombre à Abilène. En récompense de son exploit Oliver W. Wheeler reçut le titre de colonel.

Le chemin parcouru par le colonel est désormais célèbre sous un nom qui est, hélas pour lui, non pas le sien, mais celui de Jesse Chisholm. La Chisholm trail — piste de Chisholm — est toujours pratiquée puisqu'elle est devenue aujourd'hui une des autoroutes des Etats-Unis.

Lors de la guerre de Sécession, le Texas était dans le camp des Confédérés, c'est-à-dire des Sudistes. La plupart des ranchmen avaient quitté leurs entreprises pour aller s'engager dans la terrible cavalerie du général Stuart. De nombreuses fermes, manquant de personnel, furent négligées et les troupeaux retournèrent à un état à demi-sauvage. La guerre terminée, les hommes qui avaient réussi à sortir indemnes de toutes les vicissitudes rentrèrent dans leurs foyers. Ils retrouvèrent dans les champs les bêtes qui s'étaient multipliées en grand nombre. La plupart ne portaient pas le " brand " cette marque appliquée sur le flanc au fer rouge et qui permettait de discerner le propriétaire de l'animal. Il y eut de vives polémiques. Le nommé Samuel Maverick, de Eagle Pass en bordure du rio Grande avait refusé, nous l'avons déjà dit, de se soumettre au règlement qui obligeait chaque éleveur à avoir son brand respectif. Un procès donna raison à Samuel Maverick qui accepta un compromis.

Des voyageurs descendus d'Abilène jusque dans le Texas annoncèrent aux habitants d'Austin que le chemin de fer desservait désormais leur ville et que chaque jour les trains du " Kansas Pacific Railroad " déverseraient dans leur gare de nombreux acheteurs venus de Chicago et délégués par les fameux abattoirs de cette ville. Ceux-ci étaient disposés à payer un très bon prix. Il y avait là très certainement les possibilités de faire fortune très rapidement. Il fallait avoir seulement un peu d'audace et une rare endurance. Beaucoup prouvèrent qu'ils possédaient ces qualités essentielles.

UNE AUDACIEUSE ENTREPRISE.

Alors des hommes tentèrent l'aventure.

Qu'importe si ce fut Jesse Chisholm, John S. Chilsum ou Oliver W. Wheeler. L'entreprise était risquée. Elle était d'envergure et nécessitait une forte dose d'énergie. Elle réussit au-delà de toutes espérances.

Près de 600 miles, soit environ 900 kilomètres séparaient Austin d'Abilène. Il fallait remonter au nord, parvenir à la Red River et après l'avoir franchie au prix de mille difficultés traverser le Territoire Indien, le futur Oklahoma, pour atteindre enfin la frontière du Kansas et gagner par étapes successives Abilène et ses "stock-yards". C'était là une opération pleine d'embûches et de dangers. Il fallait lutter continuellement contre les éléments, le vent, la pluie, les orages qui affolaient les bêtes, et le blizzard venu du nord qui les aveuglait.

Il y avait les bêtes sauvages : les loups, les coyottes, les chats

Lors de leur randonnée vers Abilène, les troupeaux ont à affronter mille difficultés. Il y a l'orage qui risque de les rendre fous; c'est alors le « stampède »: les bêtes vont se précipiter du haut des falaises. L'intrépide cavalier qui tente de les retenir, en se plaçant devant elles, risque la mort. Il faut franchir de larges rivières et supporter des orages sans fin.

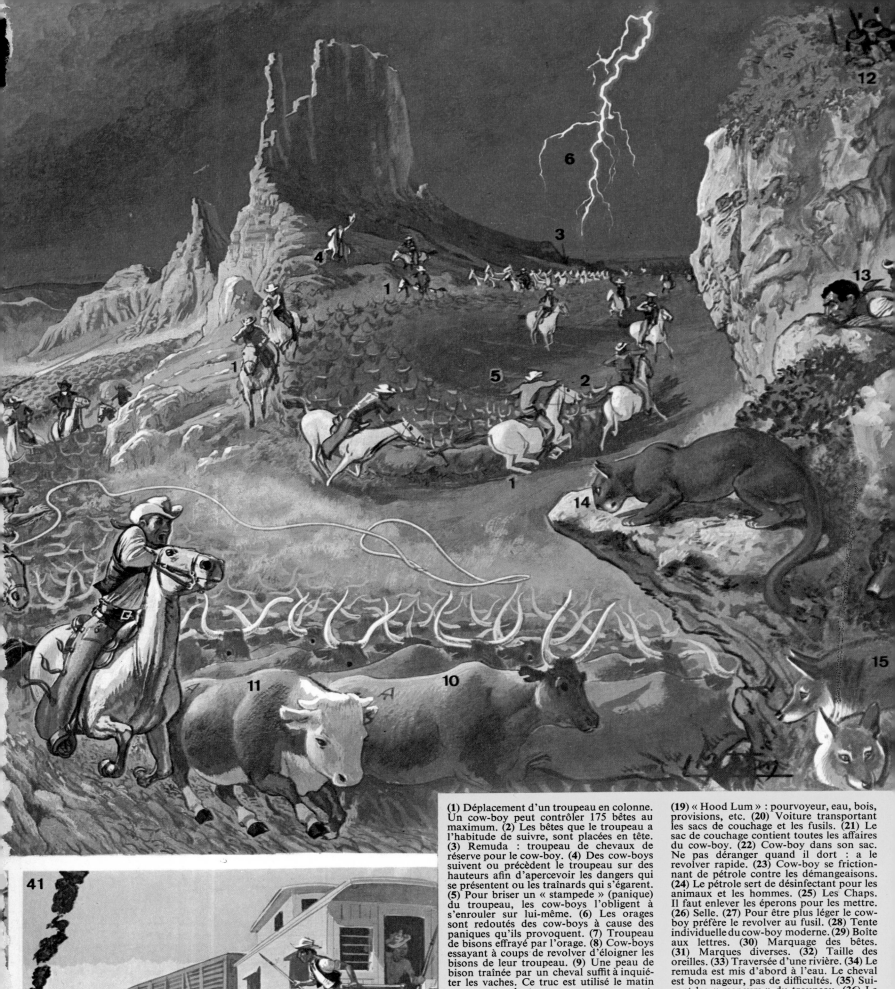

(1) Déplacement d'un troupeau en colonne. Un cow-boy peut contrôler 175 bêtes au maximum. (2) Les bêtes que le troupeau a l'habitude de suivre, sont placées en tête. (3) Remuda : troupeau de chevaux de réserve pour le cow-boy. (4) Des cow-boys suivent ou précèdent le troupeau sur des hauteurs afin d'apercevoir les dangers qui se présentent ou les traînards qui s'égarent. (5) Pour briser un « stampede » (panique) du troupeau, les cow-boys l'obligent à s'enrouler sur lui-même. (6) Les orages sont redoutés des cow-boys à cause des paniques qu'ils provoquent. (7) Troupeau de bisons effrayé par l'orage. (8) Cow-boys essayant à coups de revolver d'éloigner les bisons de leur troupeau. (9) Une peau de bison traînée par un cheval suffit à inquiéter les vaches. Ce truc est utilisé le matin pour mettre le troupeau en mouvement. (10) Vache du type « Long-horn » (longue corne) qui fut élevée dans les temps héroïques. (11) Type actuel qui est un croisement avec une espèce irlandaise. (12) Les Indiens s'attaquèrent aux troupeaux quand les bisons devinrent rares. (13) Les voleurs de troupeau provoquant des « stampedes » afin d'opérer à la faveur de la confusion. (14) Le lion des montagnes s'attaque aux veaux ou aux bêtes égarées. (15) Les coyotes font de même. (16) L'ours est une rencontre dangereuse. (17) Serpent à sonnette, mortel pour l'homme et les bêtes. (18) « Chuck wagon » du cuisinier.

(19) « Hood Lum » : pourvoyeur, eau, bois, provisions, etc. (20) Voiture transportant les sacs de couchage et les fusils. (21) Le sac de couchage contient toutes les affaires du cow-boy. (22) Cow-boy dans son sac. Ne pas déranger quand il dort : a le revolver rapide. (23) Cow-boy se frictionnant de pétrole contre les démangeaisons. (24) Le pétrole sert de désinfectant pour les animaux et les hommes. (25) Les Chaps. Il faut enlever les éperons pour les mettre. (26) Selle. (27) Pour être plus léger le cow-boy préfère le revolver au fusil. (28) Tente individuelle du cow-boy moderne. (29) Boîte aux lettres. (30) Marquage des bêtes. (31) Marques diverses. (32) Taille des oreilles. (33) Traversée d'une rivière. (34) Le remuda est mis d'abord à l'eau. Le cheval est bon nageur, pas de difficultés. (35) Suivent les « meneurs » du troupeau. (36) Le troupeau suit ses meneurs. (37) Un troupeau boit une fois par jour. On le divise en petits groupes qui vont boire l'un après l'autre, de l'aval vers l'amont, afin de boire toujours de l'eau claire. (38) Parcage de nuit. Les veaux et leur mère sont mis à part. (39) Deux sentinelles, changeant toutes les deux heures, patrouillent en sens contraire. (40) Croisement des sentinelles. (41) Pendant le transport, au moindre arrêt, les « bull-nurses » vont piquer les bêtes couchées dans les wagons afin qu'elles se relèvent et ne meurent pas étouffées, ce qui représenterait une perte sèche pour eux.

SUR LA CHISOLM-TRAIL

20

29

19

18

28

27

26

25

21

8

9

24

23

22

17

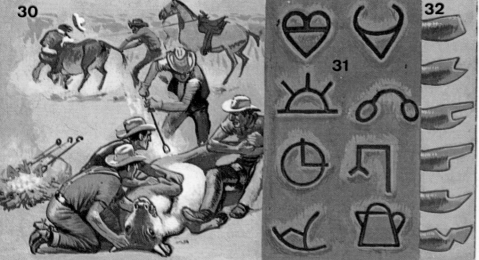

30

31

32

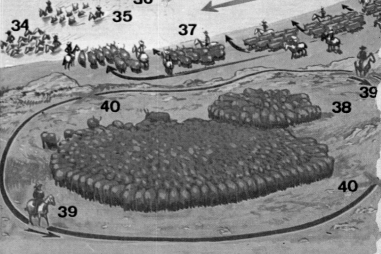

33

34

36

35

37

39

40

38

39

40

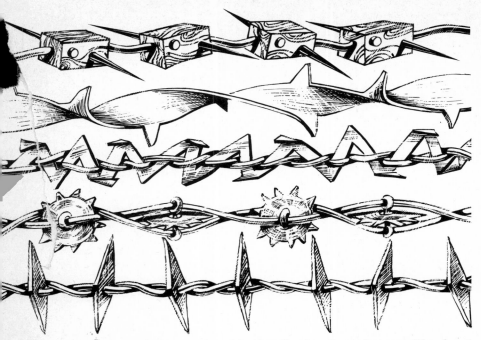

Le sol résonnait sous le martellement de milliers de sabots. Les bêtes couraient au hasard et parfois tombaient dans des précipices. Alors les hommes intervenaient. L'un d'eux, le meilleur des cavaliers, fonçait à cheval, pour se placer en tête du troupeau déchaîné. Si l'homme tombait de selle, il était irrémédiablement perdu, ses compagnons, une fois l'alerte passée, retrouvaient son corps piétiné, affreusement déchiqueté; il était enterré sur place, tandis que les bêtes enfin calmées et domptées étaient ramenées au camp. Il y eut plus d'un brave anonyme qui délibérément se sacrifia ainsi pour sauver l'ensemble du troupeau.

UN RÈGLEMENT TRÈS STRICT

Un convoi groupait, le plus souvent, 3.000 bêtes. Une centaine d'hommes étaient réunis sous les ordres du " trail boss ". Ils faisaient équipe par deux et lorsqu'ils étaient de garde ils avaient à surveiller 175 bœufs.

Chaque engagé devait fournir son équipement; selle et éperons, posséder 2 couvertures et être armé d'un Colt car la Winchester n'était pas toujours pratique lorsqu'on se trouvait en selle. Elle devait être rangée dans le fourgon à bagages à portée de la main pour être saisie à la moindre alerte.

Chaque jour, à 4 heures du matin, le convoi se mettait en route. Les hommes auparavant avaient pris un confortable " breakfast " tandis que les cavaliers désignés rabattaient les bêtes dispersées. Les feux étaient soigneusement éteints et le trail-boss donnait le signe du départ. Le troupeau progressait lentement et ne s'arrêtait qu'à midi pour permettre aux hommes de se restaurer. Le cooky battait le rappel et à l'aide d'une louche distribuait les haricots au lard aux garçons qui pour se désaltérer buvaient de l'eau et surtout un café très noir et très épais.

Quelquefois le menu était agrémenté de viande fraîche abattue en cours de route ou de gibier. Rarement on prélevait de la viande sur les bêtes du troupeau. Cela arrivait toutefois lorsqu'on était obligé de tuer une vache qui ne pouvait suivre.

En queue du convoi se trouvaient 200 chevaux, formant la " remuda " qui fournissait aux gardiens des montures.

Les fils de fer barbelés, dont il exista de nombreux modèles, furent les prétextes de fréquentes querelles entre les éleveurs de l'Ouest.

sauvages, les pumas, qui guettaient les retardataires. Il y avait aussi les hommes, quelques tribus indiennes qui oubliaient les accords conclus avec leurs chefs, lesquels en échange de quelques "long horns", avaient autorisé le passage de leurs terres au long et interminable convoi. Il y avait surtout les aventuriers blancs, les outlaws, despérados, voleurs de bétail, les " rustlers " ou comme on les appelait au Texas, les " jayhawkers " qui n'hésitaient pas à semer la panique et même à abattre les convoyeurs et les gardes.

Les nuits d'orages, assez fréquentes sur la piste, étaient particulièrement redoutées. Les risques de paniques étaient alors permanents, il suffisait d'une seule bête énervée pour provoquer un " stampède ". Alors la situation devenait des plus critiques. L'animal fou fonçait en avant, entraînant derrière lui tout le troupeau. Rien ne pouvait le retenir.

Après de longs mois sur la piste, les convoyeurs voient enfin surgir devant eux les premières maisons d'Abilène. C'est alors l'ultime étape.

Chaque jour, les garçons devaient assurer plus de 18 heures en selle pour escorter le troupeau et pousser des reconnaissances; la nuit, ils chevauchaient continuellement, montant la garde, pour repousser les chapardeurs, hommes et bêtes, et pour rabattre les animaux échappés du troupeau, avant qu'ils ne s'éloignent trop .

La nuit, les hommes pouvaient dormir dans le chariot d'escorte, transportant leur maigre bagage, mais lorsque la température était plus clémente, ils préféraient s'étendre sur le sol, entre les roues de la carriole.

Chaque randonnée qui durait trois longs mois, généralement à partir de mai, exigeait une très sévère discipline. Les ordres donnés par le trail-boss devaient être promptement exécutés et la bonne marche du convoi dépendait de tous. Dès le départ au cours des premiers miles les garçons étudiaient attentivement les bêtes et sélectionnaient celles qui pouvaient être placées en tête pour guider leurs compagnes.

TOUJOURS LE COLT EN MAIN.

Le passage en rivière était rarement chose aisée. Lorsqu'il n'y avait pas de gué, on faisait d'abord passer le chuck wagon, délesté d'une grande partie de son chargement. Avec ses caisses et ses tonneaux, il pouvait flotter aisément. Lorsqu'il avait atteint l'autre rive, on entraînait les chevaux de la remuda qui se mettaient à l'eau sans la moindre hésitation et que suivaient ensuite, fort docilement, les bœufs du troupeau.

Il fallait éviter de franchir une rivière au moment du crépuscule, les rayons du soleil couchant risquant d'aveugler les bêtes et de les désorienter. S'il faisait froid ou si la pluie tombait, il était recommandé d'attendre un temps meilleur. Après avoir progressé toute la journée et fait environ 12 miles, les cavaliers de tête faisaient un vaste mouvement tournant de façon à rejoindre après un cercle d'un demi-mile, l'arrière-garde du convoi. Les bêtes parquées à part demeuraient immobiles de 8 heures du soir à 4 heures du matin surveillées par les garçons qui se relayaient toutes les 2 heures. Lorsqu'on réveillait un garçon il fallait le faire doucement, en lui adressant la parole. En effet, lorsqu'un homme

Bill Pickett fut un des plus célèbres cow-boys noirs. Il était de première force au maniement du lasso et triompha souvent dans des rodéos.

était brusquement tiré de son sommeil, son premier geste était de se saisir de son Colt et de le braquer sur l'intrus.

Lorsqu'il était en selle, le cavalier ne regardait jamais sa montre. Il se fiait à la position du soleil et la nuit il consultait la Grande Ours.

Souvent après le repas du soir, les gars se réunissaient autour d'un feu et ils chantaient des chansons du pays. Puis, c'était le silence de la nuit, troublé par le pétillement du feu, les hurlements des coyottes qui rôdaient aux alentours et les appels que se lançaient de l'un à autre, les garçons de garde.

Après plus de 12 semaines de piste, par tous les temps, c'était l'ultime étape. Les bêtes amaigries et fatiguées étaient mises au pâturage dans un champ à l'entrée de la ville. Reprenant ainsi du poids avant d'entrer dans Abilène.

Après avoir fait la lessive, les cow-boys rinçaient ainsi le linge.

Carte des principales pistes empruntées par le bétail dans l'Ouest.

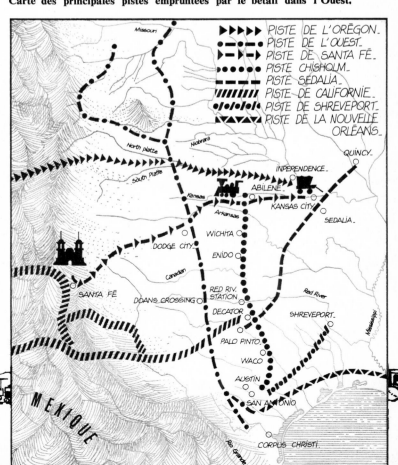

Un des principaux entrepôts d'Abilène vers 1871. Cette ville, grâce au chemin de fer, prit une importance considérable et connut la prospérité.

ABILENE, REINE DES "COW-TOWNS"

Abilène, très modeste bourgade du Kansas devint célèbre grâce au chemin de fer qui la mit en liaison avec les plus grandes villes de l'Est et notamment Chicago et ses fameux abattoirs ultra-modernes et ses fabriques de conserves.

Les businessmen de cette ville se rendirent dans l'Ouest pour y conclure d'importants contrats d'achat de bêtes sur pied. Les trains du " Kansas Railroad " les déposèrent à Abilène où ils offrirent à tous les propriétaires de troupeaux des prix fort intéressants.

Dans le Sud, à Austin, un homme eut vent de l'affaire. Il pressentit une merveilleuse opération. Cet homme, Jesse Chilsum, créa les premières pistes du bétail ayant pour terminus Abilène.

La petite ville se transforma rapidement. Il y eut, aux abords de la gare, de très vastes " stock-yards ", ces enclos dans lesquels les bêtes étaient parquées et comptées avant d'être poussées sur les rampes qui les amenaient dans les wagons à bestiaux qui formaient des trains entiers.

Abilène eut bientôt son quartier d'affaires avec des hôtels confortables et élégants, des restaurants aux menus délicats. Il y eut de nombreuses banques dont la " Wells-Fargo " qui n'était pas seulement une compagnie de diligences mais une entreprise financière. Il y eut, bien entendu, de nombreux bars, saloons, tripots et maisons de plaisir. Les premières affaires furent traitées dans un saloon, autour d'une table, avec des verres et une bouteille de bourbon. Mais cela ne dura pas longtemps. Bientôt, Abilène eut sa Bourse, grouillante d'employés et reliée directement à Chicago, par le télégraphe de la " Western Union ". Une information communiquée sur les bords du lac Michigan, recevait sa réponse en quelques secondes.

L'argent affluait à Abilène. Il passait de main en main.

Les acheteurs, venus de Chicago, évaluent le bétail amené du Texas.

Le marché conclu, des liasses de banknotes changent de propriétaires.

Les bêtes sont alors, chargées dans des wagons, à destination de l'Est.

44

Certains le gardaient précieusement dans leurs coffres, d'autres le dépensaient inconsidérément. Bien entendu, la " Cow-town " était une place de choix pour les malandrins. On y trouvait, dans les bars, de dangereux hors-la-loi, des bandits redoutables qui d'ailleurs, pendant un temps, mirent la ville en coupe réglée. Il fallut l'intervention énergique du fameux Marshall, Wild Bill Hickok, pour rétablir l'ordre et ramener le calme. Les joueurs professionnels abondaient. Ils rôdaient dans les saloons, autour des tables de jeu, de la roulette et proposaient aux garçons qui venaient de toucher leur paye des parties de poker, de wist et de faro. Les pauvres gars étaient vite dépouillés.

Trois ou quatre fois par semaine durant la belle saison, un convoi venant du Sud s'arrêtait en bordure de la ville. Tandis que les bêtes étaient au pâturage, le chef du convoi se rendait en ville pour contacter les acheteurs éventuels. C'était chose facile. Les accords vite conclus, on les scellait d'une simple poignée de main. Pendant ce temps, près de leurs chariots, les garçons faisaient une méticuleuse toilette de façon à avoir belle allure, lors de leur entrée en ville.

UNE VILLE SENS DESSUS DESSOUS

Le jour suivant, Abilène était sens dessus dessous. Les habitants se gardaient bien de s'aventurer au dehors. Les plus téméraires se tenaient à l'abri, sur les trottoirs. Dans la grande rue centrale, les bêtes déferlaient, martelant le sol de leurs sabots et soulevant une abondante poussière. Les convoyeurs poussaient des cris stridents et faisaient claquer leurs fouets à longue lanière pour les stimuler et les canaliser. Pendant des heures et des heures, c'était un interminable défilé, en direction de la gare et des stock-yards.

Lorsque la dernière bête était dans l'enclos, les " cow-punchers ", qui avaient escorté le convoi pendant plus de trois mois, s'en donnaient à cœur joie. Leurs peines et leurs efforts étaient finis. Ils hurlaient, déchargeaient leurs revolvers et se lançaient dans de folles galopades. Le Shériff et ses assistants les regardaient non sans une certaine inquiétude. Ils redoutaient les excès, surtout le soir, quand les garçons avaient trop bu. Aussi un règlement très strict était appliqué. Les coups de feu étaient interdits en ville et les visiteurs étaient invités, par voie d'affiches, à déposer leurs armes au bureau du Shériff.

Dès que le " trail-boss " avait touché son dû, il rassemblait ses hommes et les réglait. Plusieurs semaines de piste représentaient une fort belle somme, payée en banknotes et en dollars d'argent, prêts à être dépensés.

Les garçons se précipitaient alors à l'établissement de bain, pour y faire une toilette complète avec friction à l'eau de Cologne. Pas de baignoire, mais de larges baquets groupés dans un enclos qu'un boy affairé ravitaillait sans cesse en eau chaude. On se lavait en commun, avec des rires et en se faisant des blagues. Le corps débarrassé de la crasse et de la sueur du voyage, les cheveux cosmétiqués,

Autour des tables au tapis vert, on jouait des sommes considérables.

Des disputes éclataient, les colts dégainés, la poudre parlait, meurtrière.

Les cow-boys, étaient souvent la proie d'aventuriers prêts à tout.

les cow-boys s'en allaient faire leurs achats, des chemises neuves, des bottes et parfois une selle ou un équipement nouveau. Ils dépensaient sans discuter, sans marchander et les vendeurs faisaient des affaires d'or.

Le soir, la fête commençait dans les bars et les tripots continuait de plus belle. Les honnêtes gens se terraient prudemment chez eux. Dans les établissements de plaisir, dans les rues chaudes, c'était la débandade. Les garçons ivres, dévalant au galop, déchargeaient leurs colts qu'ils s'étaient bien gardés de remettre au Shériff. Il y avait de la casse, mais le lendemain leur patron, sans discussion aucune, payait les dommages.

Pendant des mois et des mois, Abilène connut une animation débordante. Il en fut ainsi pour d'autres " cow-towns " et cela dura tant que le chemin de fer n'alla pas plus loin dans le Sud. Lorsque la ligne fut prolongée jusqu'à Marion et Wichita, lorsque d'autres voies ferrées desservirent le Texas, les troupeaux ne remontèrent plus la Chisholm trail. Alors, après avoir été la reine, Abilène redevint une ville semblable aux autres, une ville tranquille et sans histoire.

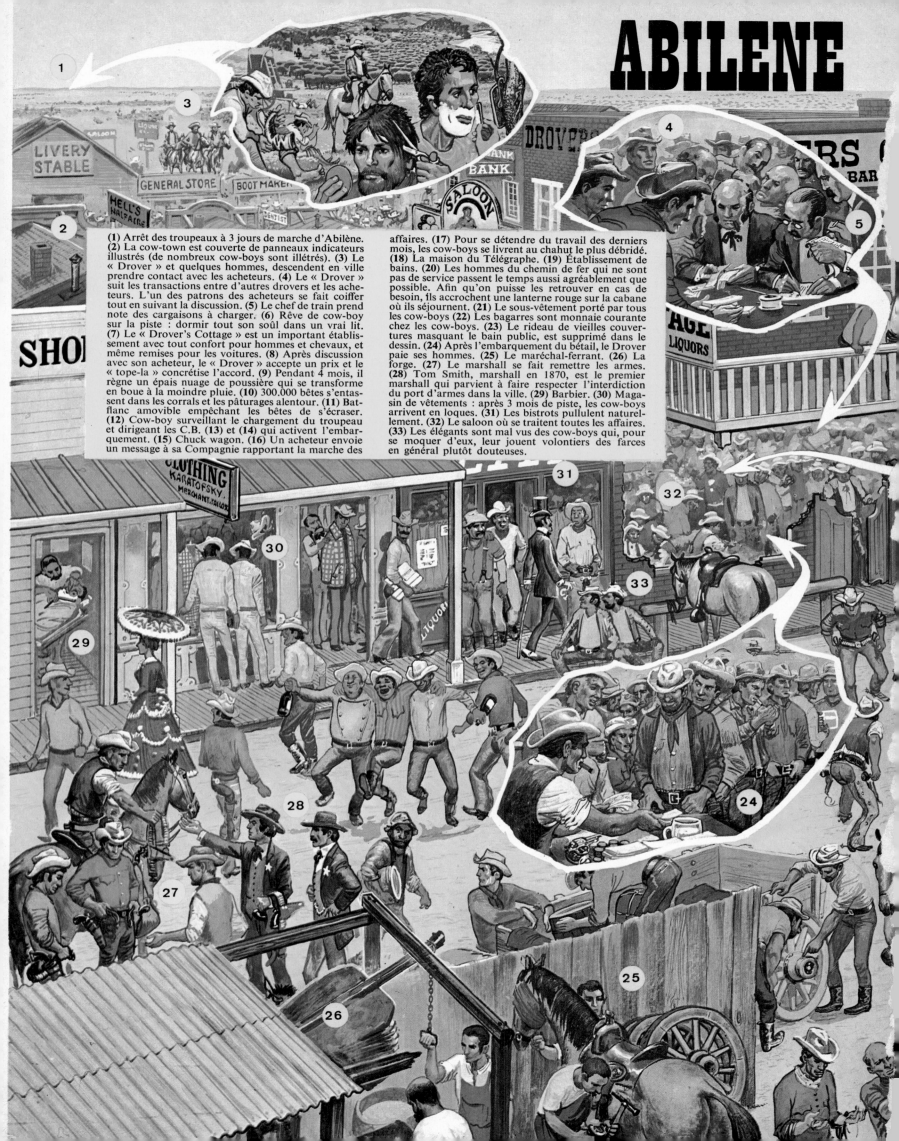

ABILENE

(1) Arrêt des troupeaux à 3 jours de marche d'Abilène. (2) La cow-town est couverte de panneaux indicateurs illustrés (de nombreux cow-boys sont illétrés). (3) Le « Drover » et quelques hommes, descendent en ville prendre contact avec les acheteurs. (4) Le « Drover » suit les transactions entre d'autres drovers et les acheteurs. L'un des patrons des acheteurs se fait coiffer tout en suivant la discussion. (5) Le chef de train prend note des cargaisons à charger. (6) Rêve de cow-boy sur la piste : dormir tout son soûl dans un vrai lit. (7) Le « Drover's Cottage » est un important établissement avec tout confort pour hommes et chevaux, et même remises pour les voitures. (8) Après discussion avec son acheteur, le « Drover » accepte un prix et le « tope-la » concrétise l'accord. (9) Pendant 4 mois, il règne un épais nuage de poussière qui se transforme en boue à la moindre pluie. (10) 300.000 bêtes s'entassent dans les corrals et les pâturages alentour. (11) Bat-flanc amovible empêchant les bêtes de s'écraser. (12) Cow-boy surveillant le chargement du troupeau et dirigeant les C.B. (13) et (14) qui activent l'embarquement. (15) Chuck wagon. (16) Un acheteur envoie un message à sa Compagnie rapportant la marche des affaires. (17) Pour se détendre du travail des derniers mois, les cow-boys se livrent au chahut le plus débridé. (18) La maison du Télégraphe. (19) Établissement de bains. (20) Les hommes du chemin de fer qui ne sont pas de service passent le temps aussi agréablement que possible. Afin qu'on puisse les retrouver en cas de besoin, ils accrochent une lanterne rouge sur la cabane où ils séjournent. (21) Le sous-vêtement porté par tous les cow-boys (22) Les bagarres sont monnaie courante chez les cow-boys. (23) Le rideau de vieilles couvertures masquant le bain public, est supprimé dans le dessin. (24) Après l'embarquement du bétail, le Drover paie ses hommes. (25) Le maréchal-ferrant. (26) La forge. (27) Le marshall se fait remettre les armes. (28) Tom Smith, marshall en 1870, est le premier marshall qui parvient à faire respecter l'interdiction du port d'armes dans la ville. (29) Barbier. (30) Magasin de vêtements : après 3 mois de piste, les cow-boys arrivent en loques. (31) Les bistrots pullulent naturellement. (32) Le saloon où se traitent toutes les affaires. (33) Les élégants sont mal vus des cow-boys qui, pour se moquer d'eux, leur jouent volontiers des farces en général plutôt douteuses.

Un Apache des White mountains, habile cavalier et tireur d'élite.

Guerriers apaches, redoutables en dépit de leur armement sommaire.

LES APACHES, DE FIERS INDIENS

Les Apaches, race belliqueuse habitaient les vastes plaines de l'Arizona et du Nouveau Mexique. Lorsque les premiers Espagnols arrivèrent au-delà du rio Grande, ils furent les premiers indigènes à découvrir et à dompter les chevaux qui s'étaient dispersés dans l'immense prairie. Quand ils eurent des chevaux et des armes à feu, ils furent redoutables et craints de tous. Les Zunis leur donnèrent le nom d'" Apachus ", qui voulait dire ennemi.

On comptait au moins 7 tribus groupées sous l'appellation d'Apaches ; les principales sont les Kiowas, Mescaleros, Jicarillas et Chiricahuas. Plusieurs tribus parmi lesquelles celle des Chiricahuas formaient un vaste clan celui des White Mountains Apaches. Une tribu qui se tenait à l'écart des autres dans le Texas était appelée les Apaches lipans. Les autres sont les Navajos et les San Carlos Apaches. Refusant de se soumettre à toute domination, ces guerriers intrépides furent sans cesse sur les sentiers de la guerre harcelant continuellement les détachements militaires et saccageant les ranches des fermiers qui fuyant les villes s'installaient avec toute leur famille dans les plaines.

DEUX GRANDS CHEFS

Les mineurs qui prospectaient l'or dans l'ouest du Nouveau Mexique, dans les premiers mois de 1850, virent rôder sans cesse autour de leur camp un Indien de très grande taille qui les observait attentivement. En vain, l'invitèrent-ils à s'éloigner. Cet intrus était un membre important de la tribu des Mimbrenos, apparenté par son mariage aux Chiricahuas. Son nom espagnol était Mangas Colorada. Il lutta toute sa vie contre les Visages Pâles et les Mexicains,

Dans ce diorama, détails de la vie quotidienne des Indiens apaches.

et se révéla comme un habile stratège au cour de plusieurs rencontres avec les troupes américaines auxquelles il infligea plusieurs revers. Mais le plus célèbre de tous les chefs apaches fut sans contredit Géronimo.

Géronimo, dont le nom indien était Goyathay, c'est-à-dire " celui qui baillait " était un medecine-man et un prophète. Il était à la tête d'une des plus puissantes tribus, celle des Chiricahuas. Il prit part très jeune à la rébellion contre les Blancs lorsqu'on voulut parquer ses compagnons dans la réserve de San Carlos, située dans une région désolée des environs de Phoenix. Quelques temps plus tard, Géronimo et sa bande furent capturés et emprisonnés. Washington avait promis d'irriguer les terres mais n'en fit rien. Géronimo s'enfuit et prit le sentier de la guerre. A la tête d'un important détachement, il sema la terreur en Arizona, au Nouveau Mexique et dans les environs de Sonora au-delà du rio Grande. Il avait voué une haine féroce aux Blancs et particulièrement aux Rurales mexicains qui avaient massacré sans raison sa famille tout entière.

LA SOUMISSION DE GÉRONIMO

Au cours de l'automne 1886, le lieutenant Charles B. Gatewood, seul avec deux éclaireurs apaches se rendit dans le camp de Géronimo et de Natchez, les deux derniers leaders de la révolte réfugiés en territoire mexicain, près de Fronteras. Le parlementaire fut conduit auprès des deux chefs. Géronimo avant de se rendre exigea de discuter avec le général Nelson A. Miles. Après quoi, peut-être accepterait-il de se soumettre.

Escortés par le captain Lawton, Géronimo et Natchez progressèrent vers le Nord et parvinrent à l'entrée du Skeleton canyon où ils campèrent.

Le 3 septembre, ces deux grands chefs firent leur soumission. Ils furent conduits à Fort Bowie où le vieux chef qui avait en poche quelques dollars acheta une vieille veste et une paire de bottes. Tout en conservant sa fierté, il était infiniment triste.

De Fort Bowie, Géronimo fut transféré en Floride, à Fort Marion, où il ne resta que quelques semaines. De là on le ramena en Oklahoma, à Fort Sill, où il devait demeurer jusqu'à sa mort.

Le 5 mars 1905, Géronimo connut son plus grand triomphe. Il fut invité à Washington par le Président Théodore Roosevelt pour participer à la parade présidentielle. Le vieux guerrier parut, très digne, chevauchant un splendide Apaloosa. Il fut acclamé par la foule en délire.

Revenu à Fort Sill, il mourut le 17 février 1909 après avoir reçu le baptême. Le vieux chef chiricahua, qui vécut exactement 80 ans, consacra la moitié de sa vie à défendre les droits et la liberté de la Nation apache.

On aperçoit, sur la gauche, les premiers contreforts d'Apache pass.

Prisonnier des Apaches, Mickey Frey fut élevé par le chef Alchise. George Bascomb accusa à tort Cochise d'avoir enlevé le métis.

Géronimo, devint l'adversaire implacable des Visages Pâles.

Le défilé des Dragoons mountains où se réfugièrent Géronimo et Cochise.

LES APACHES

(1) Le pays Apache est très sauvage, l'eau rare, il est propice aux embuscades et permet de s'y dissimuler facilement. (2) Signal de fumée d'une expédition qui retourne au village et qui annonce que tout va bien. (3) L'élevage du mouton, une des principales ressources des Apaches. (4) Enfants pétrissant la boue qui va servir de mortier. (5) Wickeyup : construction faite d'herbe. (6) Construction d'un four à pain en terre. (7) Wigwam en herbe. (8) Hogan moderne fait de terre et de troncs. (9) Kiwa pour les cérémonies sacrées. (10) Hogan ancien : armature du type tipi recouvert de boue. (11) Hogan en pierre. (12) Abri d'été contre la chaleur du soleil. (13) Fileuse de laine. (14) Tissage de couvertures en laine. (15) Le gibier est bien moins abondant qu'en plaine. (16) L'Indien aux nattes est un Apache jicarilla, tribu voisine de celle des Comanches. (17) Conseil de chefs de tribus. (18) Exécution d'une peinture de sable. (19) Tambour sacré des cérémonies en Kivas. (20) Vannier enduisant de poix une bombonne de vannerie, afin de la rendre étanche. (21) Femme broyant le maïs. (22) Construction d'un sillo à grain en vannerie. (23) Fillette transportant sa récolte dans un panier. (24) Four à pain. (25) Femme confectionnant la pâte à pain. (26) Apache surveillant les jeux des enfants. (27) Jeune Apache qui, la bouche pleine d'eau,

a dû parcourir une grande distance en courant sans en perdre une goutte. (28) Jeunes Apaches tirant des flèches sur un des leurs. Ce dernier s'efforce de les éviter. (29) Porteuse d'eau regagnant son village dans la montagne. (30) Récolte des produits des cultures dont s'occupent les femmes : Haricot, courge, maïs. (31) Récolte de bois à brûler. (32) Guerriers Apaches. (33) Des guetteurs aperçoivent le signal (2) et s'apprêtent à y répondre par deux feux, signe que tout va bien. (34) Dissimulés habilement par des buissons, des Apaches se glissent tout près de l'ennemi qu'ils tuent par surprise. (35) Coupe d'un buisson dans lequel se tient un Apache. (36) Après avoir accroché une unité américaine, des cavaliers Apaches s'enfuient afin de l'attirer jusqu'en un endroit où une embuscade a été préparée. (37) Trous dans lesquels les Apaches se sont dissimulés et depuis lesquels ils encerclent l'ennemi d'un tir meurtrier. (38) Coupe d'un trou. Une toile couverte de poussière en dissimule l'entrée. (39) Les prisonniers sont torturés à mort — supplice du feu — de petits feux sont allumés tout près du corps, puis un dernier sur le ventre. (40) Un captif, enterré jusqu'au cou, sera abandonné après qu'on lui ait coupé nez, paupières, oreilles et lèvres. (41) Supplice des fourmis : Le jus sucré, extrait d'un cactus les attire.

1

2

1   Deux des grands champions de la révolte apache en Arizona :
Le chef chiricahua Géronimo et le fils de Cochise, Natchez.

2   Le général George Crook, le « Pacificateur des Apaches »
avec ses deux scouts, Dutchy et Alchise, et sa mule Apache.

3   La cour intérieure et les principaux barraquements de Fort
Bowie, tels qu'ils se présentaient le 6 septembre 1868.

4   Géronimo et Natchez quelques heures après leur reddition.
Géronimo porte une chemise et des bottes achetées 12 dollars.

5   Indiens apaches de la tribu des Jicarillas, photographiés
par D.B. Cruse, peu après la fin des guerres indiennes.

6   Les derniers rebelles détenus à Fort Bowie, en 1868. Découragés et sans espoir, ils subissent, résignés, leur destin.

7   En route vers la Floride, Géronimo au milieu de ses compagnons, au cours d'une brève halte, lors de son transfert.

8   Au volant d'une Ford et portant chapeau haut-de-forme,
voici Géronimo devenu le serviteur des Visages Pâles.

GUERRES EN ARIZONA

APACHE-PASS

Cochise, comme Géronimo fut un des plus valeureux chefs des Indiens chiricahuas. Il se révolta ouvertement contre les Blancs, lorsque ceux-ci voulurent déporter ses compagnons de l'Arizona pour les parquer dans une réserve du Nouveau Mexique.

A la tête de 200 guerriers disciplinés il se joua pendant des mois de l'armée américaine. Intelligent et rusé, il ne haïssait pas les Visages Pâles en bloc il était même l'ami du lieutenant Thomas Jeffords, un des assistants du général O. Howard. L'officier comprenant fort bien le caractère indien, tenta en vain de convaincre son chef d'avoir recours à des moyens pacifiques. Lorsque Cochise se soumit il accepta de se rendre dans la réserve qui était en Arizona. Il étudia le comportement de ses gardiens et déclara : " — Laissez mon peuple vivre en liberté avec les Visages Pâles, dans leurs fermes et dans leurs villes! Laissez-nous être un peuple libre! " En 1860 la situation ne fit qu'empirer.

5

6

3

4

L'AFFAIRE BASCOMB

Cochise fut accusé par le lieutenant George Bascomb du VIIe de Cavalery d'avoir enlevé le métis Mickey Frey. L'officier implacable et buté se lança à la recherche du chef apache qui s'était libéré. Bascomb retrouva la piste de Cochise et lui tendit une embuscade à Apache pass. Le chef indien lui échappa mais ses trois compagnons furent faits prisonniers. Cochise prit plusieurs fermiers blancs comme otages et offrit de faire un échange. Le lieutenant refusa. Les Apaches tuèrent leurs captifs. Quelques heures plus tard, les trois Apaches, à leur tour, étaient mis à mort.

Le lieutenant George Bascomb s'acharna contre Cochise et le poussa à commettre des actes d'une rare cruauté. Une guerre véritable fut déclenchée. Elle devait durer dix ans. Le point de friction, Apache pass, était un lieu stratégique de première importance pour les Blancs. Là transitaient des caravanes de mineurs se rendant en Californie et des détachements militaires. Vers 1858, la " Butterfield Overland Mail Company " fit passer une ligne de diligence reliant Saint Louis à San Francisco. Celle-ci fonctionna deux années sans anicroches. A la suite de l'incident Bascomb, la situation s'était détériorée. Des troupes furent envoyées non seulement pour contenir les Apaches mais aussi pour lutter contre les Sudistes qui s'infiltraient le long de la frontière. Les Indiens eux ne faisaient aucune différence entre Fédérés et Confédérés et massacraient tous les Visages Pâles qui tombaient entre leurs mains.

Le 15 juillet 1862, à Apache pass, 500 guerriers chiricahuas et mimbrenos dressèrent une embuscade à un détachement de volontaires californiens, sous les ordres du général James Henry Carleton. Les Apaches étaient commandés par Cochise et Géronimo qui opéraient selon les conseils du vieux Mangas Coloradas. Les militaires furent reçus par des coups de feu qui claquaient de toutes parts tandis que du haut des falaises d'énormes rochers dévallaient sur eux. Les hommes de James H. Carleton se défendirent avec un rare courage mettant en batterie deux obusiers qui firent de grands ravages dans les rangs indiens. Mangas Coloradas fut sérieusement blessé mais les Apaches demeurèrent maîtres du terrain.

A la suite de cet incident, un fort fut construit à l'entrée du défilé, le fort Bowie qui pendant deux années contrôla toutes les opérations dans la région.

Deux mois plus tard, le général James H. Carleton déclencha une violente offensive contre les Indiens. Il chargea des opérations, Kit Carson. Celui-ci à la tête d'un détachement de volontaires du Nouveau Mexique maîtrisa les Apaches mescaleros, qui furent parqués dans une réserve à Bosque Redondo sur les berges de la Pecos River.

A cette même époque le brigadier-général Joseph R. West captura le vieux Mangas Coloradas qui quelques jours plus tard fut tué par une sentinelle.

Ce fut Cochise qui lui succéda à la tête de sa tribu. Kit Carson ayant terminé avec les Mescaleros s'attaqua aux Navajos qu'il ne cessa de harceler au cours de l'été et de l'hiver 1863.

7

8

APACHE-PASS

(1) Position des Américains au moment de l'attaque des Apaches, le 15 juillet 1862. (2) Les sources. (3) Les Apaches. (4) Les Américains battent en retraite, poursuivis par le tir des Apaches. (5) Point de regroupement des Américains en dehors de la passe. (6) Les canons bombardent les positions indiennes. (7) Repli des Apaches sur les crêtes et en amont de la passe. (8) Des sections de soldats nettoient les abords immédiats de la passe. (9) Attaque apache du soir et du lendemain matin facilement repoussée par les Américains installés aux sources. (10) Une fois là, les Américains envoient 6 cavaliers prévenir le gros des forces qui les suit. (11 et 12) Les 6 cavaliers sont poursuivis par 45 guerriers apaches. (13) Deux cavaliers dont les montures ont été tuées sont pris en charge par leur camarade. (14) Un troisième cavalier, derrière son cheval mort, tient tête à l'attaque apache et a la chance de blesser leur chef, Mangas Colorada, ce qui provoque la retraite des Indiens. Le cavalier rejoindra à pied ses camarades dans la soirée. (15) La passe est réputée si dangereuse que tous les voyageurs sont invités à s'armer pour la franchir. Un deuxième tireur est engagé par la compagnie, ce qui n'empêchera pas celle-ci d'avoir en moyenne un tué par mois. (16) En 1861 une caravane civile fut massacrée peu avant les sources. Cinq femmes et enfants sont épargnés pour être vendus ou gardés en esclavage. (17) Canon de campagne. (18) Trous d'obus. (19) Soldats nettoyant le voisinage de la passe. (20) Deuxième canon. (21) Apaches battant en retraite vers le sommet d'où ils tireront sur les Américains quand ces derniers seront parvenus aux sources. (22) Géronimo. (23) Amis et familiers de Cochise venus l'accompagner (ils seront retenus comme otages). (24) Cochise s'échappe du piège tendu par Bascom. (25) Cochise. (26) Hélène Doom, femme d'un officier est torturée et brûlée sur ce sommet, en vue du Fort Bowie. (27) Sur le pic Bowie est installé un héliographe qui reçoit et transmet des renseignements militaires sur de très grandes distances. (28) Quartier de la cavalerie. (29) Quartier général du Commandant du Fort et mess des officiers. (30) Quartier des officiers. (31) La piste vers El Paso. (32) Poste de garde du Fort. (33) En direction des sources (500 mètres) et de Tucson. (34) Situation du Fort (orienté vers le sud-est). (35) Les corrals. (36) La station de diligences (située en fait à 500 mètres de l'autre côté des sources). (37) Les sources et le bois de chêne. (38) Le canon de campagne Howitzer, grand vainqueur des Indiens. (39) Les Apaches se retirent sous le feu de l'artillerie. (40) Parapets que Cochise a fait construire en vue de cette embuscade. (41) Emplacement du premier fort provisoire qui fut construit par les Américains à la suite de cette bataille. (42) Cochise regroupant ses hommes. Ils sont bien pourvus en armes et munitions. Avec Cochise à leur tête, les Apaches auraient eu de fortes chances de gagner cette bataille, sans les deux canons qui leur infligèrent de lourdes pertes qu'ils ne purent combler et qui agirent sur leur moral.

Le canyon de Chelly, d'une extraordinaire beauté, fut, lors des guerres en Arizona, le théâtre de sanglantes rencontres entre Rouges et Blancs.

Guidée par des éclaireurs apaches, une patrouille militaire visite les défilés et canyons à la recherche de l'ennemi qui se cache et les observe.

NANNI CHADDI

Les Indiens traqués par Kit Carson se replièrent dans le canyon de Chelly où ils furent attaqués le 6 janvier 1864. Le célèbre éclaireur se heurta à ses adversaires qui occupaient une position jugée inexpugnable. Après avoir rencontré une résistance acharnée, il réussit à faire prisonniers 7.000 Navajos qui furent conduits après une longue marche punitive à Bosque Redondo où ils furent parqués avec les Mescaleros.

En concentrant au même point deux tribus qui se haïssaient, le général James H. Carleton ne fit qu'aggraver la situation. Les Mescaleros refusèrent de se soumettre à l'arrogance des Navajos. Ils s'évadèrent en masse au cours de l'année 1865. Mais leur liberté fut de courte durée. Ils finirent par se soumettre et furent envoyés à Fort Stanton, dans le Lincoln county. Les Navajos, eux ne bronchèrent pas. Ils demeurèrent à Bosque Redondo jusqu'en 1868, date à laquelle ils furent autorisés à rentrer dans leurs terres ancestrales.

Lorsque s'acheva la guerre de Sécession, l'Arizona, en dépit des mesures prises par le général James H. Carleton, se trouva dans une nouvelle guerre indienne contre les Apaches. Une bande de 30 Apaches Aravaipas, sous la conduite de leur chef Eskiminzin, s'étaient soumis au lieutenant R. Whitman, à Camp Grant. Ils étaient retenus à 5 miles du poste. Le 30 avril 1871, un groupe de cavaliers venus de Tucson, fit irruption, pénétra dans l'enceinte du camp indien, tua 87 prisonniers adultes et un certain nombre de squaws et emmenèrent avec eux 29 enfants.

Le 4 juin de la même année, le lieutenant-colonel George Crook prit la direction des opérations sur tout le territoire de l'Arizona.

Sa première décision fut d'envoyer des troupes au Tonto bassin, au centre même du territoire occupé par les Mojaves et les Yavapaïs. Au cours de cette campagne le captain W.H. Brown avec deux détachements du VIIe de Cavalery et 30 scouts apaches remporta une très grande victoire sur ses adversaires.

A l'aube du 28 décembre, il surprit un groupe d'une centaine d'Indiens yavapaïs qui s'étaient réfugiés dans une caverne du Salt river canyon. Les troupes américaines se déployèrent en éventail devant l'entrée du souterrain interdisant ainsi toutes posibilités de fuite. Sommés de se rendre, les Yavapaïs répondirent par un refus catégorique.

Les assaillants déclenchèrent alors un tir d'une rare violence. Les balles allèrent frapper la voute de la galerie et ricochèrent, atteignant ensuite les guerriers rouges. Ce fut, là encore, un horrible massacre car dans la caverne se trouvaient non seulement des guerriers mais aussi des femmes et des enfants que les balles n'épargnèrent pas.

Désespérés, les Yavapaïs tentèrent une ultime sortie. Vingt d'entre eux foncèrent en avant en poussant des cris de mort. L'un d'eux s'écroula tué net. Les autres furent désarmés. Quand les militaires pénétrèrent dans le refuge des Indiens, ils n'y trouvèrent que dix-huit survivants qui n'étaient que des femmes et de jeunes enfants. Tous les autres étaient morts. Le 6 avril 1873, les Yavapaïs firent leur soumission à Camp Verde et le lieutenant-colonel George Crook reçut en récompense le titre de brigadier général.

DES TRIBUS HOSTILES

Entre 1876 et 1886, les Apaches ne cessèrent d'entreprendre leurs attaques et de dresser des embuscades un peu partout sur les pistes du Sud-Ouest.

Certaines tribus qui s'étaient soumises furent parquées dans de minables réserves où d'odieux trafiquants leur vendaient un whisky frelaté qui décima les malheureux prisonniers. La plus importante réserve de l'Arizona était celle de la San Carlos Agency, sur la Gila river. On l'appelait "l'Enfer de 40 acres". Certains villages indiens refusèrent d'exécuter les ordres des Visages Pâles. Ils prirent le large et pendant dix années harcelèrent les postes militaires isolés et pillèrent de nombreux ranches de l'Arizona et du Nouveau Mexique. Les troupes stationnaient dans des forts de plus en plus nombreux : Forts Apache, Thoms, Grant, Bowie et Huachuca en Arizona, Forts Bayard et Stanton, au Nouveau Mexique et Forts Bliss, Davis, Quitman et Concho au Texas. De ces divers points partirent de nombreux raids contre les Hostiles. Mais les soldats avaient deux autres ennemis aussi implacables et meurtriers, le soleil et le climat. Il leur fallait marcher souvent pendant des heures et des heures, dans un désert immense, sans points d'eau et sous un ciel de plomb.

Tombés dans une embuscade, les soldats prennent aussitôt leur position de combat et déclenchent un feu d'enfer meurtrier. (F. Remington).

En 1879, avec 100 Apaches Warm Springs et Mescaleros, le chef Vittorio sema l'angoisse à travers tout le Nouveau Mexique, au Texas et jusque dans la province mexicaine de Chihuahua. Harcelé par les soldats des postes militaires et les Texas rangers, Vittorio réussit à s'échapper.

En 1880, les troupes mexicaines le retrouvèrent dans la province de Chihuahua et le tuèrent au cours d'une sanglante bataille. Nana, un des lieutenants de Vittorio, pourtant âgé, réussit à s'enfuir, gagna la sierra où il retrouva Géronimo. En 1881 des troubles furent provoqués par un medecineman, Nakaïdoklini qui prêchait une nouvelle religion où le christianisme se mêlait curieusement à la Ghost dance.

Le colonel Eugène A. Carr fut chargé d'arrêter le nouveau messie. Avec 85 cavaliers et guidé par 23 scouts indigènes, il prit la piste et Nakaïdoklini fut arrêté à Cibecue creek. Au cours de la nuit qui suivit 800 disciples du prisonnier attaquèrent le camp du colonel. Plusieurs scouts se révoltèrent, tuèrent le captain E.C. Henting et rallièrent les assaillants. Pendant ce temps Nakaïdoklini était tué par ses gardiens. Le colonel Eugène A. Carr réussit à se dégager au cours de la matinée. Ses adversaires battant en retraite s'en furent rôder autour de Fort Apache.

A cette même époque 54 guerriers conduits par Nantaitish s'en furent attaquer San Carlos Agency et les ranches du Tonto bassin tout en remontant vers les sources de l'East Verde river. Ils se firent prendre en chasse par les cavaliers du captain R. Chaffee. Le 1er juillet les Indiens préparèrent une embuscade dans le lit desséché d'un canyon, mais l'officier et ses hommes surent déjouer leur plan et ce fut la rencontre de Big Dry wash.

Des blessés légers sont transportés par un fourgon de ravitaillement.

Cinq malheureux Apaches prisonniers, avec les chevilles enchaînées.

A la fin du mois de décembre 1872, le général Crook ordonne au major Brown de se mettre en campagne pour faire cesser le pillage et le terrorisme que fait régner sur la région de la Salt River et de la Gila River, la tribu apache dirigée par le chef Tshunts. Le major disposera de 3 escadrons du 5e Rgt de cavalerie, escortés de 40 Apaches sous les ordres d'un des leurs, et de 100 Indiens pimas et de leur chef. (1) Le 27 décembre vers midi, les troupes américaines surprennent le camp apache et tuent 6 Indiens. Le major Brown somme la tribu de se rendre sans conditions. (2) Refus de la tribu qui se réfugie dans la caverne. (3) Devant le tir des Apaches et la nature du terrain qui rend l'attaque de la caverne trop périlleuse dans l'immédiat, les Américains s'installent en deux formations. L'ennemi, protégé par un énorme rocher, est pratiquement inaccessible au tir direct des troupes du major Brown. Aussi essaye-t-on le tir par ricochet sur la voûte de la caverne. Immédiatement des cris et des plaintes prouvent son efficacité. Le major Brown renouvelle la sommation, en ajoutant que les femmes et les enfants peuvent se retirer, qu'il ne leur sera fait aucun mal. Pour toute réponse, les Apaches entonnent leur chant de mort, ce qui indique qu'ils sont prêts à combattre jusqu'à l'extermination de la tribu. (4) Brusquement une vingtaine d'Apaches apparaît sur un côté du rocher, attirant ainsi toute l'attention des assiégeants. (5) Pendant ce temps de l'autre côté, un autre groupe parvient à se faufiler et tente de prendre les Américains à revers. Mais il se heurte à la seconde ligne

américaine et, après un violent engagement, se replie sur la caverne. (6) Pour avoir une idée de ce qui se passe chez l'ennemi, les Américains envoient des observateurs sur la falaise. (7) Deux volontaires irlandais se font descendre au bout d'une corde faite de courroies liées entre elles. L'effet de surprise est total, ils font mouche à tous coups et sortent indemnes de l'affaire. (8) Le major Brown ordonne de faire tomber des rochers du haut de la falaise sur les Apaches. (9) Pendant que dans la vallée les hommes organisent un tir très dense. (10) Configuration de la caverne. (11) Position du rocher qui protège les Apaches. (12) Trajectoires des balles tirées par ricochets. (13) Trajectoire suivie par les rochers tombant de la falaise. (14) Falaise opposée où se tiennent les observateurs. (15) Dans ce Pilotorama figurent les deux volontaires alors qu'en fait ils sont remontés avant que les rochers aient commencé à tomber. (16) Position des troupes américaines dans la vallée. (17) Les Apaches se défendent avec une bravoure extraordinaire. (18) L'un d'entre eux se tient délibérément debout sur le rocher. (19) Les femmes récupèrent les armes des morts et les chargent pour ceux qui tirent encore. (20) Femmes et enfants trouvent un refuge sur les côtés de la caverne, pour s'abriter des balles qui ricochaient. Mais quand les rochers tombèrent, ils ne furent plus protégés. (21) Les Américains ne découvrirent que des morts ou blessés lorsqu'ils pénétrèrent dans la caverne. Ils trouvèrent 18 femmes et 6 enfants grièvement atteints. Les hommes avaient tous été tués.

NADDI-CHADDI

Au temps de sa splendeur, Virginia city compta des centaines de mines comme l'Union mine et la Sierra Nevada mine, ci-dessus.

LES PLACERS DE LA TRUCKEE RIVER

Cette gravure populaire, abondamment distribuée aux Etats-Unis, évoque le départ de deux prospecteurs pour la grande aventure.

Cette méthode de pulvériser le minerai précieux fut pour la première fois mise en pratique en Californie. Elle fut employée dans la Truckee river, grâce à l'ingéniosité d'Adolf Sutro qui fit creuser un tunnel.

Lorsque les premiers Mormons s'établirent sur les contreforts de la Sierra Nevada et fondèrent Salt Lake city, des gisements aurifères furent découverts, à proximité du Grand Lac Salé, mais ils furent dédaignés, les disciples de Brigham Young préférant s'adonner à l'Agriculture.

Leurs découvertes ne demeurèrent pas ignorées de tous. Des hommes, n'ayant pas les mêmes sentiments désintéressés, se mirent à prospecter les régions traversées par les caravanes, notamment un défilé portant le nom symbolique de Gold canyon. Les premières recherches furent plutôt décevantes, mais les chercheurs d'or ne désespérèrent pas. Parmi eux se trouvait un petit groupe qui réunissait Pat Mc Laughin, Pete O'Riley, un Français, Big « French John », et un certain James Finney, qu'on appelait « Old Virginy », parce qu'il était originaire de Virginie.

Au début de l'année 1859, ces prospecteurs fouillèrent Gold canyon et, au cours de la journée du 28 janvier, ils mirent à jour, une énorme pépite. Prenant possession des lieux, ils appelèrent l'endroit Gold hill. Autour d'eux, des chercheurs s'installèrent, recouvrant de leurs tentes le mont Davidson puis ils se répandirent dans la vallée du Six Miles canyon. Quelques semaines plus tard, Peter O'Riley et ses compagnons décidèrent de plier bagages, car il leur était impossible de travailler avec un tel voisinage. Ils s'en furent tenter leur chance ailleurs. Au mois de juin, ils se trouvaient aux abords de la Sun mountain, qui dominait le cours de la Truckee river. Leur voisin, Henry Comstock, devait découvrir le plus fabuleux filon de toute la région. Opérant, le 9 juin, en bordure d'une petite rivière, ils tombèrent sur un gisement de minerai d'argent de moyenne importance.

Ils décidèrent de se fixer dans la région et James Finley d'une voix puissante, s'écria : « — Je baptise ce lieu Virginia city! » Virginia city allait devenir la ville la plus célèbre et aussi la plus riche d'une région, contrôlée alors par les Mormons, qui, plus tard, ferait partie du nouvel état du Nevada.

Virginia city commença par être, tout bonnement, un assemblement de huit tentes avant de devenir rapidement une véritable ville.

Henry Comstock, ayant fait, à son tour, sa prodigieuse découverte donna, à son exploitation, le nom de Comstock lodge, qui devint une des plus prospères de la région.

Coupe de la mine la plus fantastique de la région de Virginia city, la fameuse Comstock lodge, montrant son exploitation en détail.

Ces deux mineurs, travaillant pour la Consolidated Chollar mine, opéraient à plus de six cents mètres de fond, et environnés de dangers.

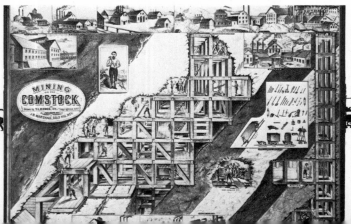

Bientôt, Virginia city groupa plus de 45.000 habitants, dont plus d'un tiers passait la journée sous terre, dans les mines. Même les femmes se livraient à ces durs travaux. L'existence dans les mines était pénible et dangereuse. Les galeries s'enfonçaient très profondément dans les entrailles de la terre. Les éboulements étaient fréquents. Un des chefs de chantiers, un Allemand, nommé Philip Deidsheimer, mit au point un système ingénieux pour pallier cet inconvénient. En avril 1869, 43 hommes périrent brûlés · vifs dans la Yellow Jacket mine ; et la cité tout entière fut ravagée par un immense incendie, en 1880. Le service de protection était assuré par une équipe de volontaires. La première pompe fut offerte à la municipalité par Julia Bulette, une femme très accueillante qui fut assassinée, à l'âge de 25 ans, par un vagabond d'origine française, John Millian.

Le problème de l'eau était fort délicat. Il en fallait, chaque jour d'énormes quantités, pour laver le minerai broyé. Un émigrant allemand, Adolf Sutro, résolut ce problème en perçant à travers la montagne, un tunnel d'évacuation de 4 miles, soit 6 kilomètres de long, ce qui à l'époque était une véritable performance. Adolf Sutro fut d'ailleurs, récompensé car il mit à jour un gisement de grande valeur. Il devint un des hommes les plus riches du monde et se retira à San Francisco, où il se fit construire, en bordure de l'océan, une luxueuse villa, que l'on peut visiter aujourd'hui. Il consacra sa fortune à des œuvres charitables.

L'INTERNATIONAL HOTEL

La prodigieuse richesse des mines de Virginia city sauva l'Union, au cours de la guerre de Sécession, en apportant dans les coffres du Trésor des Nordistes, une énorme quantité de lingots d'argent. Dans les rues de la ville, qui se succédaient en gradins sur les flancs d'une colline dominant l'immense plaine de la Truckee river, grouillait un monde disparâte. On rencontrait de nombreux mineurs ainsi que des aventuriers venus dépouiller les crédules de leurs richesses. Virginia city pouvait rivaliser en luxe avec les plus grandes villes de la côte du Pacifique. A l'« International hotel », qui fut détruit en 1905 par un violent incendie et ne fut jamais reconstruit, les chambres et les salons étaient d'un luxe incroyable et le restaurant était très prisé des gastronomes. Les prix de ce palace, il convient de le préciser, n'étaient pas à la portée de tous. Seuls, les riches propriétaires de mines pouvaient le fréquenter.

Virginia city eut, pendant un temps, une importante population chinoise. Celle-ci formait alors comme à San Francisco, une véritable ville dans la ville. A cette époque, il ne faisait pas bon, aux touristes, de s'aventurer dans les ruelles sombres et bordées de maisons au style oriental. Il y avait là de nombreux bouges et des fumeries d'opium. Les Chinois avaient leur propre police et leurs tribunaux.

Virginia city, qui avait quatre cimetières, le méthodiste, le catholique, l'israélite et le maçonique, s'étendait en gradins sur le flanc d'une longue colline. On y accédait par une route en lacet la reliant à Carson city et bordée de nombreuses mines. Elle était desservie par une ligne de chemin de fer, le « Virginia and Truckee railroad », laquelle lui permettait d'être en relation rapide avec San Francisco.

Aujourd'hui à Virginia city, Nevada — qu'il ne faut pas confondre avec une autre ville minière du Montana qui porte le même nom — il ne reste plus que quatre cents habitants. Ils sont là pour recevoir les touristes venus en car de Reno ou Carson city. Vêtus comme les gens d'autrefois, ils s'efforcent de faire vibrer le cœur des visiteurs en évoquant, avec beaucoup de charme et de gentillesse, les fastes du temps jadis, c'est-à-dire de l'époque où la vallée retentissait des bruits des mines et des « placers ».

N° 11

Avant de découvrir le filon qui allait les rendre riches, les prospecteurs, pour réduire les dépenses, vivaient en groupe dans une chambre.

Dans la rue centrale « Central Street » de Virginia city, l'Hôtel International offrait à ses clients un luxe digne des plus grands palaces.

Julia Bulette, qui vivait de ses charmes, occupait une de ces rustiques cabanes. Très charitable, elle rendit service à plus d'un prospecteur.

Sandy Bewers, qui lisait l'avenir dans une boule de cristal, et son ami Eilley Orum furent les premiers milliardaires de la ville.

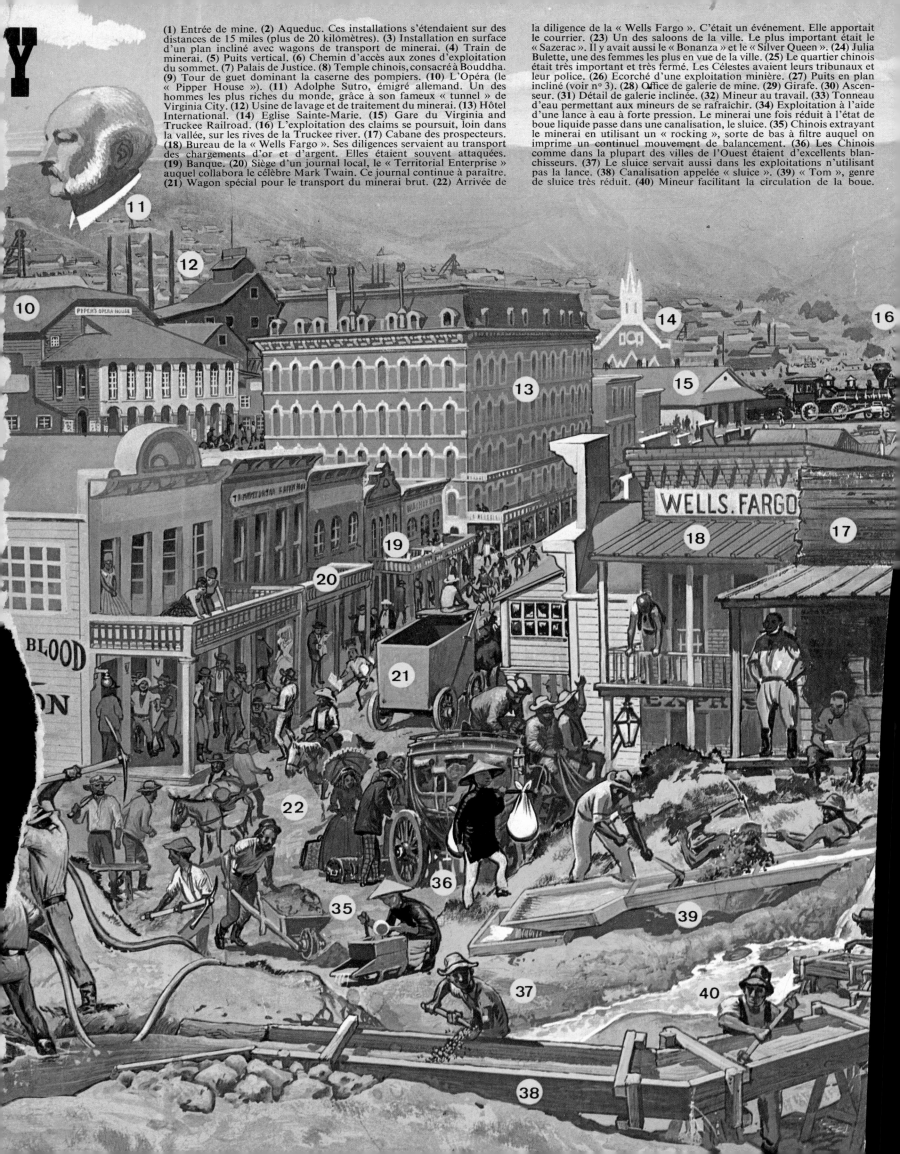

(1) Entrée de mine. (2) Aqueduc. Ces installations s'étendaient sur des distances de 15 miles (plus de 20 kilòmètres). (3) Installation en surface d'un plan incliné avec wagons de transport de minerai. (4) Train de minerai. (5) Puits vertical. (6) Chemin d'accès aux zones d'exploitation du sommet. (7) Palais de Justice. (8) Temple chinois, consacré à Bouddha. (9) Tour de guet dominant la caserne des pompiers. (10) L'Opéra (le « Pipper House »). (11) Adolphe Sutro, émigré allemand. Un des hommes les plus riches du monde, grâce à son fameux « tunnel » de Virginia City. (12) Usine de lavage et de traitement du minerai. (13) Hôtel International. (14) Eglise Sainte-Marie. (15) Gare du Virginia and Truckee Railroad. (16) L'exploitation des claims se poursuit, loin dans la vallée, sur les rives de la Truckee river. (17) Cabane des prospecteurs. (18) Bureau de la « Wells Fargo ». Ses diligences servaient au transport des chargements d'or et d'argent. Elles étaient souvent attaquées. (19) Banque. (20) Siège d'un journal local, le « Territorial Enterprise » auquel collabora le célèbre Mark Twain. Ce journal continue à paraître. (21) Wagon spécial pour le transport du minerai brut. (22) Arrivée de la diligence de la « Wells Fargo ». C'était un événement. Elle apportait le courrier. (23) Un des saloons de la ville. Le plus important était le « Sazerac ». Il y avait aussi le « Bonanza » et le « Silver Queen ». (24) Julia Bulette, une des femmes les plus en vue de la ville. (25) Le quartier chinois était très important et très fermé. Les Célestes avaient leurs tribunaux et leur police. (26) Ecorché d'une exploitation minière. (27) Puits en plan incliné (voir n° 3). (28) Office de galerie de mine. (29) Girafe. (30) Ascenseur. (31) Détail de galerie inclinée. (32) Mineur au travail. (33) Tonneau d'eau permettant aux mineurs de se rafraîchir. (34) Exploitation à l'aide d'une lance à eau à forte pression. Le minerai une fois réduit à l'état de boue liquide passe dans une canalisation, le sluice. (35) Chinois extrayant le minerai en utilisant un « rocking », sorte de bas à filtre auquel on imprime un continuel mouvement de balancement. (36) Les Chinois comme dans la plupart des villes de l'Ouest étaient d'excellents blanchisseurs. (37) Le sluice servait aussi dans les exploitations n'utilisant pas la lance. (38) Canalisation appelée « sluice ». (39) « Tom », genre de sluice très réduit. (40) Mineur facilitant la circulation de la boue.

Cette photo exceptionnelle a été prise à Laramie, Wyoming, quelques instants après que Big Steve Long eut été pendu à un poteau télégraphique.

SHÉRIFFS ET DESPERADOS

Un jour, dans une gare de l'Ouest, un employé de chemin de fer voyant un voyageur accablé s'approcha de lui et tenta de le réconforter. L'homme lui dit : " — J'en ai assez! Je veux aller au diable." " — Qu'à cela ne tienne! Il vous suffit de prendre un billet pour Dodge City! "

Dodge city, en effet, à cette époque, était une ville maudite. Elle n'était pas la seule. L'Ouest était infesté de bandits et de despérados qui trouvaient là un vaste champ d'actions. Plus d'un malandrin y acquit une sinistre réputation. Mais, dans l'autre camp, même si l'on compta parmi les Shériffs quelques brebis galeuses, il y eut, heureusement des hommes courageux, décidés à appliquer fermement les lois et à les faire respecter.

L'un des premiers hors-la-loi de l'Ouest fut Charles Quantrill qui, profitant de l'époque troublée de la guerre de Sécession, opéra dans le Kansas et le Missouri et mérita le surnom de " l'homme le plus sanguinaire de toute l'Histoire des Etats Unis ". Il fut non seulement un redoutable chef de bande mais le mauvais conseiller des frères James et Younger.

A Centralia, il tua froidement 75 soldats nordistes désarmés. Maintes fois arrêté, il réussit toujours à tromper la sur-veillance de ses gardiens. Il fut abattu à Lexington, alors que, brandissant un drapeau blanc, il se constituait prisonnier. Considéré, dans sa jeunesse, comme le meilleur danseur de Bannack, Henry Plummer débuta dans la vie comme mitron chez le boulanger local. Mais, manipulant les cartes avec adresse, il devint joueur professionnel, ce qui ne l'empêcha pas d'être nommé Shériff à Beavershead, en 1863. Tout en dirigeant les forces de l'ordre du comté, il dirigea une bande de mauvais garçons auxquels il signalait les coups à faire.

Devant la recrudescence des vols et des pillages dans la région et aussi devant son incompétence — et pour cause — un Comité de Vigilants fut créé. Ces policiers volontaires finirent par le démasquer et Henry Plummer, condamné à mort, fut pendu à la potence qu'il avait fait lui-même dresser. Le jour de son exécution qui eut lieu devant une foule immense, le courrier apporta sa nomination au poste de US. Marshall et de Federal Commissionner.

Les frères Reno étaient quatre : Frank, Clinton, John et Siméon. Ils furent des novateurs. Ce furent eux qui, les premiers dans les annales criminelles mondiales attaquèrent et

Wild Bill Hickok.

Chris Madsen et Bill Tilgham.

Pat Garett.

dévalisèrent un train. Cet exploit fut accompli le 6 octobre 1866 à Seymour, dans l'Indiana. Dans le fourgon de l'"Adams Express Compagny" de l'"Ohio and Mississippi Railroad", ils s'emparèrent de 10.000 dollars. Encouragés par ce succès, ils récidivèrent dans un wagon de la même entreprise et emportèrent 8.000 dollars. Ils constituèrent alors une bande redoutable qu'ils entraînèrent spécialement et s'étant rendus dans le Missouri, ils dérobèrent au Trésor du Comté de Daviess 22.065 dollars. Les célèbres agents de Pinkerton entrèrent alors en action et Allen le chef secondé par six hommes musclés, de son bureau de Cincinnati, se lancèrent à leurs trousses. John Reno fut arrêté au dépôt de Seymour et transféré au Missouri. Frank Reno tenta de le délivrer mais il arriva trop tard. John fut condamné à 40 ans de prison. Les trois autres frères continuèrent leurs exploits. Le plus sensationnel fut entrepris le vendredi 22 mai 1868. Près de Marshfield, au sud de Seymour, dans un train du "Jefferson, Missouri and Indianapolis Railroad" ils firent main basse sur 96.000 dollars. Ils allaient récidiver sur un convoi transportant 100.000 dollars lorsque Pinkerton alerté prit place dans le convoi. Lorsque les bandits se présentèrent ils furent arrêtés. Les trois frères Reno réussirent à échapper mais leurs complices furent accueillis à l'entrée de la ville de Seymour par une troupe d'hommes masqués qui les pendirent aussitôt. William et Siméon furent démasqués par des détectives de l'agence Pinkerton; Allan Pinkerton lui-même arrêta Frank Reno et plusieurs de ses complices à Windsor, au Canada. Les trois frères Reno, extradés, furent enfermés dans la prison de New Albany où ils attendirent de passer en jugement, ne se faisant d'ailleurs aucun doute sur le verdict du jury. Dans la nuit du 11 décembre un train spécial s'arrêta en gare de New Albany et une horde de forcenés, les visages masqués, en descendirent puis foncèrent en direction de la prison dont ils forcèrent les portes. Ces hommes déchaînés se saisirent des trois frères Reno et les exécutèrent avec une sauvagerie inouïe.

UN HORS LA LOI DEVENU AVOCAT

John Wesley Hardin fut le despérado le plus notoire du Texas. Fils d'un pasteur méthodiste, il fit montre d'une rare brutalité. Le nombre de ses victimes est considérable. Il abattit son premier homme à l'âge de 15 ans. Deux années plus tard, il en avait six de plus à son actif. Son grand-père étant le colonel Joseph Hardin, il disposa dans le Texas de très importantes relations qui lui permirent d'opérer avec une réelle aisance dans cet état, qu'il dut toutefois quitter lors de la réorganiastion de la police. Arrêté par le Ranger John Armstrong, il purgea 25 années de prison au cours desquelles il apprit le droit. Libéré il ouvrit un bureau d'avocat. Il se maria et deux semaines plus tard partit pour El Paso pour y défendre un client. Reconnu par le Constable John Sherman il fut abattu par celui-ci. John Wesley Hardin ne commit jamais de vol. Il fut un hors-la-loi qui au cours de sa vie tumultueuse descendit plus de 30 personnes.

A Dodge city, vers 1870. Plusieurs défenseurs de la loi. Devant : Charles Bassett, Wyatt Earp, M.F. Lean et Neal Brown. Au second rang : W.H. Harris, Luke Short et le célèbre Bat Masterson.

L'UN DES PLUS CÉLÈBRES BANDITS

L'un des plus célèbres bandits de l'Ouest fut incontestablement Jesse James, que l'on surnomma à tort le "Brigand bien-aimé". Combattant lors de la guerre de Sécession dans les rangs des Confédérés, il fut fait prisonnier par les Nordistes. Une sentinelle, lâchement, tira sur lui et le blessa grièvement. Considéré comme n'ayant plus que quelques heures à vivre, il fut autorisé à retourner dans sa famille pour y mourir. Sa mère le recueillit à Clay county, le soigna et réussit à le sauver.

A Clay county, Jesse James fit la connaissance des frères Younger, des individus guère recommandables, qui le présentèrent à Charles Quantrill. Dès lors, entraînant derrière lui son frère Frank, il prit le commandement d'une bande de ruffians avec lesquels il accomplit plusieurs raids contre des banques. Au cours de l'année 1865, il opéra dans la ville de Liberty mais, au cours du pillage de la banque, un garçon de 16 ans fut tué. La ville aussitôt s'organisa et Jesse James fut arrêté. Faute de preuves, le tribunal l'acquitta. Dès lors ce ne fut plus qu'une suite de coups de mains audacieux et téméraires contre les établissements de crédit et contre les trains.

L'agence Pinkerton, alertée par les compagnies ferroviaires, dépêcha deux de ses meilleurs agents. Traqués, harcelés les deux frères durent changer chaque jour de retraite. Le gouver-

C'est dans ce pittoresque saloon, que le juge Roy Bean (que l'on voit à droite) rendait la justice à l'est de la Pecos river. Quiconque assistait aux audiences devait consommer.

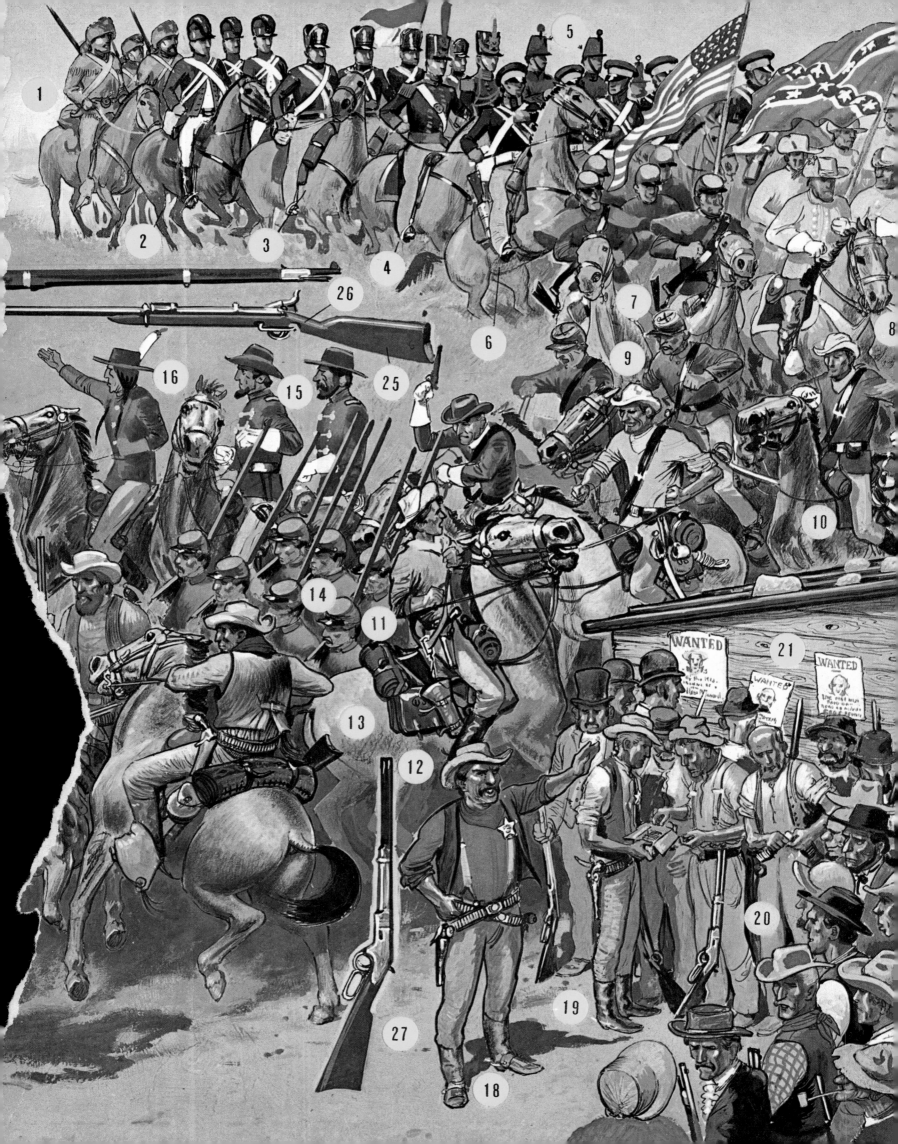

LA LOI DANS L'OUEST

(1) Les grands explorateurs de l'Ouest furent tous des militaires : Lewis, Clark, Zebulon Pike et Frémont. (2) Dragons U.S. qui vinrent relever à St. Louis les fusilliers français, lors de l'achat de la Louisiane par les Américains en 1803. (3) Uniforme de dragons vers 1836 (soldat). Pendant tout le Premier empire, les uniformes américains s'inspirent de ceux de l'armée française de l'époque. (4) Officiers de dragons. (5) Artillerie de 1855. (6) Dragons de 1847. C'est l'uniforme qu'ils portent pendant les combats contre les Mexicains, au moment de la conquête de la Californie. (7) Cavalerie nordiste pendant la guerre de Sécession. Ils ne parvinrent à vaincre les cavaliers sudistes qu'en les submergeant par le nombre. (8) Cavalerie sudiste. Leur chef, un Texan nommé Stuart, en fit une unité d'élite extrêmement mobile et combative que les nordistes craignaient beaucoup et ne purent jamais égaler. (9) Cavalerie de 1868. (10) Uniforme de la cavalerie à partir de 1874. Sergent en tenue de campagne. (11) Cavalier en tenue de campagne sans la veste (tenue d'été). (12) Étui à carabine. (13) Sacoche. (14) L'infanterie porte toujours le képi qu'elle avait déjà à la guerre de Sécession. (15) Officiers. (16) Scout indien. Dans le nord il porte le chapeau et la veste de la cavalerie mais garde souvent le costume indien par dessous. Dans le sud, il porte l'ensemble de l'uniforme sauf la coiffure (il conserve le turban apache). (17) Officier des affaires indiennes. Il ne dépend que de ses supérieurs de Washington. (18) Sheriff chargé de la sûreté des citoyens et désigné par eux. (19) Deputy-Sheriff, volontaire et agréé par le sheriff. Il le seconde dans toutes ses tâches. (20) En cas de danger grave et immédiat en attendant que l'armée puisse intervenir, des citoyens volontaires se forment en milice sous la direction de leur sheriff, afin d'assurer la défense de leurs familles et de leurs biens. (21) Affiches de recherche de bandits portant le nom et les surnoms, le portrait, les méfaits et l'indication de la récompense pour leur capture mort ou vif. (22) Les rangers. Une troupe de cavaliers d'élite, montés sur les meilleurs chevaux et armés jusqu'aux dents des armes les plus efficaces. Ce sont des volontaires civils expérimentés dont le sens moral est très élevé et qui ont une très haute idée de la justice. Ils interviennent partout ou celle-ci est menacée. Leur habileté est vite devenue légendaire et, d'un bout à l'autre de l'ouest, on fait appel à eux en cas de besoin. A l'origine, c'était une simple milice armée du Texas. Mais l'obligation dans laquelle elle se trouvait de lutter constamment à la fois contre les Mexicains et les Indiens, en fit peu à peu un corps de spécialistes permanent. Leur chef, désigné par eux-mêmes, est toujours le meilleur d'entre eux dans tous les domaines. (23) Uniforme de parade de la cavalerie à partir de 1872 (inspiré de la cavalerie prussienne). (24) Les fusils du début du 19e siècle se chargent encore par la gueule. (25) Carabine Springfield de la cavalerie (de 1870 à 1890). (26) Triangle de fixation à mousqueton, solidaire d'une courroie que le cavalier portait en travers du corps. (27) Winchester 1873, carabine à répétition qui devint tout de suite très populaire dans l'ouest. (28) Colt à 6 coups modèle 1851. Ce sont les rangers qui l'adoptèrent les premiers. L'armée n'en avait pas voulu, mais quand elle vit les résultats obtenus par les rangers, elle l'adopta à son tour. (29) Colt 1878, l'arme de l'Ouest par excellence. (30) Quelques insignes portés par des sheriffs de l'Ouest (collection George Fronval).

Pour assurer l'ordre et traquer les dangereux despérados, certains états créèrent des milices officielles : les Rangers. Voici ceux de l'Arizona.

neur du Missouri offrit une prime de 5.000 dollars. Cette somme devait tenter un des anciens compagnons de Jesse, Bob Ford qui offrit ses services. Il se mit à la recherche de son ancien ami et le retrouva dans le Missouri, à Saint Joseph.

Le 30 avril 1882, Bob Ford rendit visite à Jesse James. Celui-ci s'étant, un moment, retourné pour remettre en place un tableau portant en tapisserie l'inscription " God bless you " (Dieu vous bénisse!), il lui tira deux balles dans le crâne. Ce lâche assassinat ne fit que rendre la victime plus sympathique au public. On créa une ballade vantant les exploits du célèbre bandit. Il y eut à l'enterrement une foule considérable.

Nullement étouffé par le remords, Bob Ford eut l'audace de jouer, sur scène, une pièce intitulée " Comment j'ai tué Jesse James ".

Le 8 juin, alors qu'il dirigeait un saloon volant au Colorado, il fut tué à bout portant par un ancien policier devenu tueur à gages, un certain Ed. O' Kelly.

Quant à Frank James, arrêté juste après la mort de son frère, il fut jugé et acquitté. Il finit ses jours de très honorable

façon, après avoir vendu des chaussures dans un magasin et été starter sur un champ de courses.

UN BANDIT POÈTE.

Un bien curieux personnage que ce Black Bart, un vrai bandit d'opérette. Il sévit dans l'Ouest, juste avant la mise en service du chemin de fer transcontinental, c'est-à-dire au moment du déclin des diligences. De son vrai nom Charles E. Boles, né à Jefferson county, New York, il était vétéran de l'armée de l'Union. En Californie au cours de l'année 1880, il entreprit avec succès 27 attaques de diligences et il fut arrêté vers 1883. Il avait les yeux bleus, les cheveux gris et portait une abondante moustache. C'était un homme calme, ne buvant jamais et ayant horreur du tabac. Il portait toujours avec lui une Bible et sa lecture préférée était celle des grands auteurs classiques. Il était lui-même poète et il adressa à plusieurs Shériffs chargés de l'arrêter des lettres en vers habilement troussées.

Au moment de sa capture sa femme habitait Hannibal, dans

La célèbre agence Pinkerton eut à mener plusieurs enquêtes dans l'Ouest. Deux de ses meilleurs agents furent Charles A. Siringo et W.O. Sayles.

William Pinkerton entouré par deux collaborateurs de la Southern Express Co : Pat O'Connel et Sam Finley.

Ces hommes, tous volontaires, devaient affronter mille dangers et risquer sans cesse leur vie **pour** traquer et arrêter de dangereux bandits.

le Missouri. Peut-être Black Bart avait-il mis un peu du sien. Toujours est-il qu'un policier, plus heureux que les autres lui mit la main au collet. Condamné à six ans de prison, il fut libéré le 6 janvier 1888. Dès lors, il mena une vie retirée et tranquille et ne fit plus jamais parler de lui.

Aux alentours de l'année 1880, dans de nombreuses villes de l'Ouest la vie n'était pas des plus faciles. Parmi les pionniers venus de l'Est pour édifier un nouveau monde, s'étaient glissés de nombreux aventuriers, voleurs, meurtriers, prêts à tout. Ces hommes sans scrupules ayant la détente facile n'hésitaient pas à se servir de leurs armes. Les Shériffs, élus par les habitants eux-mêmes, n'avaient pas toujours la conscience tranquille. Bon nombre étaient de fieffés coquins comme Henry Plummer qui tout en représentant la Loi commandait une bande de despérados et leur indiquait les coups à faire. Devant l'inertie et l'évidente mauvaise volonté de certains représentants de la Loi, les honnêtes gens se rebiffèrent et créèrent des Comités de Vigilants. Ce ne fut pas toujours une bonne chose. Certains Vigilants en profitèrent pour assouvir des vengeances personnelles. Il y eut ainsi de nombreuses erreurs judiciaires. Des arrestations furent entreprises sur des preuves douteuses. Les malheureux furent condamnés à mort après un semblant de jugement. Lorsqu'on les eut pendus à la maîtresse branche d'un arbre le véritable coupable était découvert. Mais il était, hélas, trop tard. Ces scènes révoltantes étaient appelées " lynchage " en souvenir d'un certain juge trop expéditif, nommé Lynch.

Certes il y eut des Shériffs qui ne furent pas à la hauteur de leur tâche. Mais, heureusement, il y eut bon nombre de représentants de la Loi intègres et courageux. Certains payèrent de leur vie, leur dévouement à la cause du Droit, et leur intrépidité à affronter les outlaws.

LE PLUS CÉLÈBRE DES SHÉRIFFS.

Le Sheriff le plus célèbre est, sans contredit, Wild Bill Hickok qui rétablit l'ordre dans plusieurs villes du Kansas. De son vrai nom James Buttler Hickok, il débuta dans la vie comme

John X. Beidler acquit une célébrité notoire en devenant exécuteur des dures sentences prononcées par les Vigilants de l'Etat du Montana.

Aux maîtresses branches de cet arbre de Wickenburg, en Arizona, entre les années 1863 et 1890, furent pendus de très nombreux criminels.

garçon de ferme, puis signa un engagement avec la fameuse compagnie " Overland Stage Line ". Il opéra au relais de Rock creek station, dans le Nebraska. Ce fut-là qu'eut lieu son fameux combat avec les frères Mc Canlas. Ceux-ci lui cherchant querelle, une bagarre éclata. Elle se termina par l'extermination du gang Mc Canlas : six hommes selon les uns, dix selon les autres, abattus en l'espace de quelques secondes.

Le représentant de l'Autorité ou l'homme à l'Etoile, une très belle composition de E.C. Edward (Gilcrease Institute Tulsa Oklahoma).

(1) Cellule où sont retenus les prisonniers avant de passer en jugement ou purgeant une courte peine; (2) Couloir devant les cellules; (3) Porte solide séparant la partie cellulaire du Shériff Office (bureau du Shériff); (4) Poêle et cafetière; (5) Crachoir; (6) Caisses à fusils et boîte de cartouches. (7) Affiches « Reward », diffusées pour faciliter les recherches des hors-la-loi; (8) Armes appartenant aux détenus; (9) Ratelier d'armes contenant les fusils du poste maintenus par une chaine cadenassé; (10) Bureau à cylindres avec, sur le dessus, une lampe tempête pour le dehors et une autre, à pétrole, pour l'intérieur; (11) Assistant du Shériff : Deputy-Shériff; (12) Shériff ; (13) Porte munie de barreaux donnant sur la rue; cette porte fermait aussi avec de solides serrures et verrous.

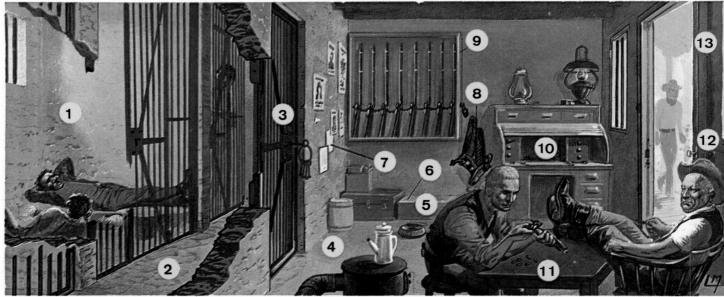

Trois affiches, placardées dans tout l'Ouest, pour faciliter la recherche de dangereux criminels. La quatrième interdisait le port d'armes en ville.

$1,000 Reward!

WE WILL PAY FIVE HUNDRED DOLLARS FOR THE
Arrest and Detention
UNTIL HE CAN BE REACHED, OF
Tom Nixon,

Alias TOM BARNES, five feet seven or eight inches high, 145 to 150 lbs. weight, 25 years of age, blue-gray eyes, light hair and whiskers; beard not heavy or long; mustache older and longer than beard. He is a blacksmith, and worked at that trade in the Black Hills, last summer; has friends in Minnesota and Indiana. He was one of the robbers of the Union Pacific Train, at Big Springs, Nebraska, on September 18, 1877.

He had about $10,000 in $20 Gold pieces of the stolen money in his possession, of the coinage of the San Francisco Mint of 1877. The above reward will be paid for his arrest and detention, and 10 per cent. of all moneys recovered; previous rewards as regards him are withdrawn.

ANY INFORMATION LEADING TO HIS APPREHENSION WILL BE REWARDED. Address,

ALLAN PINKERTON,
191 and 193 Fifth Avenue, CHICAGO, ILLINOIS.
Or, E. M. MORSMAN,
Supt. U. P. R. R. Express. OMAHA, NEBRASKA.

NOTICE!
TO THIEVES, THUGS, FAKIRS AND BUNKO-STEERERS,
Among Whom Are

J. J. HARLIN, alias "OFF WHEELER;" SAW DUST CHARLIE, WM. HEDGES, BILLY THE KID, Billy Mullin, Little Jack, The Cuter, Pock-Marked Kid, and about Twenty Others:

If Found within the Limits of this City after TEN O'CLOCK P. M., this Night, you will be Invited to attend a GRAND NECK-TIE PARTY,

The Expense of which will be borne by
100 Substantial Citizens.
Las Vegas, March 24th. 1882.

PROCLAMATION
OF THE
GOVERNOR OF MISSOURI!
REWARDS
FOR THE ARREST OF
Express and Train Robbers.

STATE OF MISSOURI,
EXECUTIVE DEPARTMENT.

WHEREAS, It has been made known to me, as the Governor of the State of Missouri, that certain parties, whose names are to me unknown, have associated themselves together for the purpose of committing robberies and other depredations within this State; and

WHEREAS, Said parties did, on or about the Eighth day of October, 1879, stop a train near Glendale, in the county of Jackson, in said State, and, with force and violence, take, steal and carry away the money and other express matter being carried thereon; and

WHEREAS, On the fifteenth day of July 1881, said parties and their confederates did stop a train upon the line of the Chicago, Rock Island and Pacific Railroad, near Winston, in the County of Daviess, in said State, and, with force and violence, take, steal and carry away the money and other express matter being carried thereon; and, in perpetration of the robbery last aforesaid, the parties engaged therein did kill and murder one William Westfall, the conductor of the train, together with one John McCulloch, who was at the time in the employ of said company, then on said train; and

WHEREAS, Frank James and Jesse W. James stand indicted in the Circuit Court of said Daviess County, for the murder of John W. Sheets, and the parties engaged in the robberies and murders aforesaid have fled from justice and become fugitives from the law:

NOW, THEREFORE, in consideration of the premises, and in lieu of all other rewards heretofore offered for the arrest or conviction of the parties aforesaid, or either of them, by any person or corporation, I, THOMAS T. CRITTENDEN, Governor of the State of Missouri, hereby offer a reward of five thousand dollars ($5,000.00,) for the arrest and conviction of each person participating in either of the robberies or murders aforesaid, excepting the said Frank James and Jesse W. James, and for the arrest and delivery of said

FRANK JAMES and JESSE W. JAMES,

and each or either of them, to the sheriff of said Daviess County, I hereby offer a reward of five thousand dollars, ($5,000.00,) and for the conviction of either of them so arrested and delivered, I hereby offer a further reward of five thousand dollars, ($5,000.00,)

IN TESTIMONY WHEREOF, I have hereunto set my hand and caused to be affixed the Great Seal of the State of Missouri. Done at the City of Jefferson on this 28th day of July, A. D. 1881.

[SEAL.]
THOS. T. CRITTENDEN.
By the Governor:
MICH'L K. McGRATH, Sec'y of State.

Au cours de la guerre de Sécession, Wild Bill servit dans les rangs nordistes en qualité d'agent secret. A ce titre, il accomplit plusieurs missions dans les lignes des Confédérés.

Démobilisé, il fut Sheriff à Fort Riley, dans le Kansas. Energique, autoritaire, tireur de premier ordre, il réussit à appliquer un régime sévère auquel se soumirent les mauvais garçons.

A Springfield, dans le Missouri, à l'issue d'une dispute, il tua son meilleur ami, Dave Tutt, dans un duel régulier. Après avoir été scout pour le compte du général Custer, Wild Bill occupa le poste de Sheriff-Marshall à Hayes city, petite ville du Kansas, terrorisée par les desperados. Il mit fin de façon définitive aux exploits de bon nombre de ces derniers, notamment Sam Strawhorn, Bill Mulvey et Bill Thompson. Ce fut à Hayes que les notables d'Abilène vinrent le chercher, le suppliant d'épurer leur ville. Lorsqu'il arriva à Abilène, tous les habitants l'attendaient. Il édicta des consignes sévères et sut les faire respecter. Ses exploits sont multiples. Il est impossible de les mentionner tous ici. Wild Bill Hickok trouva la mort à Deadwood, dans le South Dakota. Ce jour-là, il disputait une partie de cartes. Contrairement à son habitude, tournant le dos à la porte d'entrée, il ne se plaça pas devant une glace. Un homme entra, il ne le remarqua pas. C'était un certain Jack Mc Call, soudoyé par une bande de hors-la-loi. Jack Mc Call s'approcha du Marshall sans bruit et tira. Wild Bill Hickok s'écroula, les cartes dans la main. Il fut enterré au cimetière de Boot hill. Son meurtrier fut recherché et retrouvé par la fameuse Calamity Jane qui, assure-t-on, était amoureuse du meilleur tireur de l'Ouest, lequel était, aussi, un homme très élégant.

21 MEURTRES A 21 ANS.

Billy the Kid est certainement le plus célèbre et aussi le plus cynique de tous les bandits de l'Ouest. Si sa carrière criminelle fut brève, elle fut malheureusement bien remplie. Lorsqu'il fut mis hors d'état de nuire, la crosse de son revolver portait 21 encoches. Billy the Kid n'était âgé que de 21 ans. Encore ne marquait-il que les hommes blancs, car pour lui, les Noirs, les Mexicains et les Indiens étaient quantité négligeable.

De son vrai nom, William H. Bonney, il naquit dans les bas-fonds de New York. Lorsqu'il eut 3 ans, sa famille quitta son taudis pour aller habiter Coffeyville, dans le Kansas. Son père mourut peu après. Sa mère d'origine irlandaise, s'en fut à Silver city, dans le Colorado, où elle trouva un emploi, dans

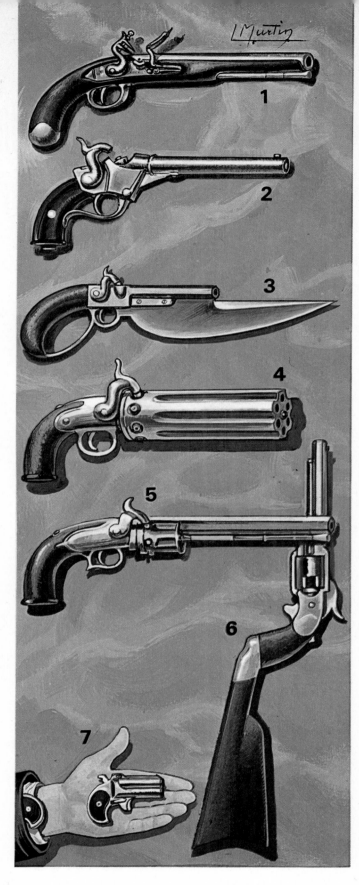

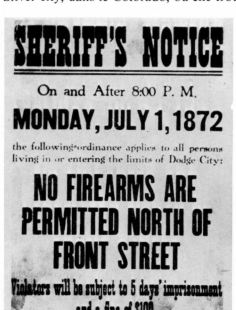

(1) Pistolet « J. Henry » calibre 50, construit en 1810 à New-York. Chargé par la gueule comme les fusils, le pistolet de cette époque est considéré comme une arme d'appoint et de luxe. Sa crosse lestée lui permet de servir de matraque. (Le recharger était bien trop long). (2) Le « Sharp », fabriqué à Philadelphie sous différents calibres, est un pistolet à percussion produit à partir de 1840. Il se charge par la culasse et d'une façon rapide, mais ne tire qu'une seule balle. (3) Le « Allen-Elgin », pistolet à percussion calibre 54, fabriqué en 1837. Une fois sans balle, il pouvait servir de poignard. (4) Un modèle de « Pepper-box » (moulin à poivre) de 1840. C'étaient plusieurs canons qu'il fallait tourner à la main afin de placer le chien vis-à-vis du canon chargé. L'arme était très pesante. (5) Un « Collier » calibre 50 à cinq coups, première apparition du barillet; il supprimait le handicap poids du « Pepper-box », mais il se tournait encore à la main. Puis vint le temps du « Colt » automatique à barillet. Sa vogue fut telle qu'il fut copié partout. (6) Voici un « Alsop » calibre 36, avec crosse-fusil adaptable (1860). (7) Remington Derringer à deux canons calibre 41. Les « derringers » étaient des armes faciles à dissimuler et furent à l'époque l'arme favorite des joueurs.

Les bandits les plus célèbres de l'Ouest Jesse et Frank James.

Charles Ford, qui, pour de l'argent assassina Jesse James.

une pension de famille. Comme il n'y avait pas d'école à Silver city, le jeune William passait toutes ses journées à flâner dans les rues et sur les terrains vagues, avec plusieurs garnements de son âge. C'était l'époque où les frères James sévissaient dans le Missouri. La rumeur publique colportait leurs exploits et bientôt le jeune garçon n'eut plus d'autre ambition que de les égaler et, qui sait, de les surpasser. Il ne devait pas tarder à le faire.

Sa première victime fut un élégant cavalier, joueur professionnel, habitué de tripots, auquel, sur un prétexte futil, il chercha querelle. Pour échapper au Sheriff, le jeune meurtrier s'éloigna. Dès lors, il ne cessa d'errer sur les pistes de l'Ouest. Trois semaines plus tard, pour s'approprier leurs montures, il tua trois Indiens chiricahuas. Désormais ses victimes devaient se succéder sur un rythme rapide.

A camp Bowie, il abattit un forgeron noir. Dans les Guadalupe mountains, seul, avec un simple revolver, il attaqua vingt Indiens et en tua deux.

Vers 1870, John Chilsum était considéré comme le plus grand ranchman de tout le Nouveau Mexique. Il régnait en maître absolu sur la Pecos valley et ne tolérait ni critique, ni remarque. Parmi les autres fermiers, se trouvaient des propriétaires aisés comme le major L.G. Murphy et J.J. Dolan, soutenus par le State attorney Thomas B. Catron et deux fermiers très riches, Alexander Mc Sween et John Tunstall. William H. Bonney travailla pour ces diverses entreprises. Il y eut entre les indépendants et Jesse Chilsum de nombreuses querelles et discussions qui aboutirent à ce qu'on appela la " guerre de Lincoln county ".

Le 18 février, John Tunstall fut abattu par un groupe de cavaliers, commandés par Billy Morton et Frank Baker. En apprenant la nouvelle, William H. Bonney fut très affecté : " Tunstall, dit-il, était le seul patron qui me traitait en homme. Grâce à lui j'aurais pu redevenir un garçon honnête ! " Moins d'un mois plus tard, Billy Morton et Frank Baker étaient trouvés morts. On accusa le Kid.

Il y eut d'autres victimes. On compta parmi celle-ci le Sheriff Brady et son assistant Hindman.

Les dernières nouvelles venues de Lincoln county émurent Washington. Le président Rutherford D. Hayer destitua le gouverneur du Nouveau Mexique, Samuel B. Axtell et nomma à sa place, Lew Wallace, un général qui devait devenir célèbre en écrivant " Ben Hur ".

William H. Bonney, connu désormais sous le sobriquet de Billy the Kid, eut l'audace de demander à Lew Wallace, un rendez-vous pour tenter de lui prouver qu'il n'était pas responsable de tous les meurtres qu'on lui imputait. Le nouveau gouverneur donna suite à sa requête.

Le 17 mars 1879, à 2 heures, Billy the Kid frappa à la porte de Lew Wallace. Celle-ci s'ouvrit et le gouverneur vit devant lui un garçon tenant une Winchester d'une main et un Colt de l'autre avec, sur le visage, un air peu rassurant.

— Je dois voir le gouverneur ! Où est-il ? Interrogea le visiteur d'un ton sec.

— C'est moi ! répondit Lew Wallace le plus calmement du monde.

— Vous m'avez promis une protection absolue !

— Vous n'avez rien à craindre !

Billy the Kid entra. Le gouverneur referma la porte derrière lui. Le visiteur, après un bref instant d'hésitation, posa ses armes et prenant place sur le siège que lui présentait son hôte, il s'expliqua sur le meurtre de Hutson Chapman, un des nombreux crimes dont on lui attribuait la responsabilité et dont il assura n'en avoir été que le témoin.

L'entretien terminé, le jeune homme repartit sans être inquiété. Mais d'autres meurtres eurent lieu et on eut les preuves formelles que Billy the Kid, que l'on appelait aussi " El Cabrito " (la Chèvre), en était bien l'auteur.

Alors, le nouveau Sheriff de Lincoln county s'acharna contre lui. Celui-ci n'était autre qu'un camarade d'enfance du hors-la-Loi : Pat Garett. Ayant débuté dans la vie comme joueur professionnel dans les casinos, il était un tireur très habile. Devenu le représentant de l'autorité, après avoir un temps servi dans les fameux Texas Rangers, il décida de mettre un terme aux exploits du Kid, qui venait de descendre Joe Grant et Jimmy Carlyle. Billy the Kid tomba dans une embuscade tendue à Fort Summer. Arrêté et jugé, William H. Bonney fut condamné à mort. En attendant l'exécution de la sentence, il fut enfermé dans une pièce dénudée située au premier étage au-dessus du magasin Murphy. Le 28 avril, après avoir tué son gardien, le prisonnier réussissait à prendre la clef des champs pouvant ainsi recommencer ses exploits.

Pat Garett se jura de le retrouver. La poursuite implacable dura des semaines et des mois. Billy the Kid était signalé par les hommes mais il en était aussitôt informé par les femmes qui étaient loin d'être insensibles à ses charmes.

Assisté de deux deputies-Sheriffs, John W. Poe et Thomas Mc Kinney, Pat Garett retrouva la piste du criminel qui se cachait chez un fermier de Fort Summer, Pete Maxwell. Au cours de l'après-midi du 14 juillet 1881, profitant de l'absence du jeune garçon, le Sheriff pénétra dans le ranch et tint en respect, pendant des heures, Pete Maxwell et sa domestique indienne, Delvina. Quelques heures plus tard, il autorisa le fermier à aller se coucher, mais demeura près de lui, sur le seuil de sa chambre.

Tard dans la nuit, le Kid revint. En entendant du bruit, il demanda " — Quien es ? " (Qui est-là ?). Alors, par deux fois Pat Garett pressa sur la détente. La première balle atteignit Billy the Kid en plein cœur. La seconde se perdit dans un mur du couloir.

Bondissant Pat Garett s'écria : " — J'ai tué le Kid ! "
Le Sheriff passa en jugement et fut acquitté, le jury ayant constaté qu'il s'agissait d'un " homicide justifié ".

Pat Garett déclara : " — J'aurais voulu avoir le Kid vivant. Mais averti de ma présence, il était revenu pour m'abattre ! "
Pat Garett découragé changea de métier. Théodore Roosevelt le fit nommer inspecteur des Douanes à El Paso. Il n'y resta pas longtemps et partit pour la Californie où il devint starter sur un champ de courses.

Le 29 décembre 1908, il fut tué, à Las Cruses, au Nouveau Mexique, par Wayne Brazil, un ranchman qu'il voulait faire expulser de son domaine des Organ mountains.

DEUX SHERIFFS HORS CLASSE.

William Barclay Masterson était encore un tout jeune garçon quand ses parents quittèrent l'Illinois pour le Kansas. A cette époque, les Indiens luttaient désespérément contre la destruction imbécile des bisons par les Visages Pâles.

La vie dans les nouveaux territoires était rude. Il n'y avait aucune école et la Loi était appliquée revolver au poing.

Le monde dans lequel furent plongés Bat et son frère Ed était ingrat et hostile. Bat fut successivement chasseur, scout, directeur d'un modeste trading-post, joueur professionnel, restaurateur, jusqu'au jour où il arriva à Dodge city qui, avec juste raison, était considérée comme l'anti-

N° 12

Le télégramme adressé à Independence, annonçant la mort de Jesse James.

chambre de l'enfer. Il travailla au ravitaillement en viande des chantiers du Santa Fé railroad et, en 1874, participa à la bataille d'Adobe Wall contre les Indiens. Après quoi, il rentra à Dodge City où il fit la connaissance de Wild Bill Hickok dont il devint, à la fois, l'ami et l'assistant.

De nombreux cow-boys du Texas étaient d'anciens soldats conférés, heureux d'être sortis indemnes de la guerre, mais qui ne cessaient de chercher querelle aux yankees. Bat Masterson tenta d'apporter l'apaisement. Sa diplomatie lui valut de nombreux amis et l'estime de ses adversaires.

Clay Allison, un tueur du Texas fort connu tenta de le supprimer. Il chargea pour cela Ben Thompson dit "Short Gun Ben ". Quand son frère Ed. fut tué à Dodge city, il finit par retrouver ses assassins, il en tua un et blessa grièvement le second. Après l'affaire du vol du Kinsley Kansas

Dès que la nouvelle fut connue, ce fut une ruée sur les lieux du crime.

Devenu un homme rangé, Frank James fut vendeur de chaussures.

Joaquin Murietta terrorisa, pendant un temps, la Californie. Traqué par les shériffs, il finit par être abattu. Décapité, sa tête, placée dans un bocal, fut exhibée sur les places publiques devant des curieux avides de sensations.

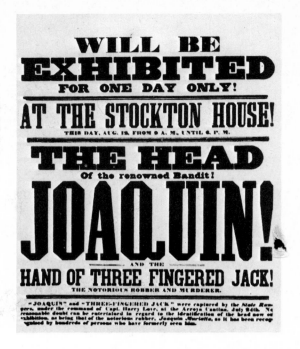

railroad, il mit un terme aux exploits de Dave Rudabaugh. En 1905, Bat Masterson fut nommé dans la Police new-yorkaise. Il y demeura deux ans. Il devint alors journaliste dans un grand quotidien et assura la chronique des sports d'hiver. Il mourut le 25 octobre 1921, alors qu'il rédigeait son article. Curieuse fin pour un Sheriff de l'Ouest.

Bat Masterson avait beaucoup d'admiration pour un de ses collègues de l'Ouest : Bill Tilgham, qu'il considérait comme un des plus valeureux défenseurs de la Loi dans les villes nouvelles. Les hors-la-loi avaient pour lui une certaine déférence car ils le savaient homme de parole. Par ailleurs, les Indiens, avec lesquels il se trouva en contact, le tenaient en très grande estime. En maintes circonstances il avait pris leur défense et plus d'une fois réussit à éviter des drames. Bill naquit le 4 juillet 1849, jour de la fête nationale américaine, à Fort Dodge, en Iowa. Sa famille s'en fut à Atchison, au Kansas et il avait 8 ans, lorsque son père partit pour la guerre de Sécession. Il devint alors le chef de la famille et travailla avec des chasseurs de bisons dans les immenses plaines aux abords de Topeka. Après avoir chassé pour le compte du chemin de fer et pris contact avec de nombreuses tribus indiennes qui lui témoignèrent une très grande amitié il s'en fut au Colorado. De retour au Kansas, il se vit confier le poste de deputy par le Sheriff Sam Bassett de Ford county,

qui le chargea de retrouver des bœufs dérobés par des maraudeurs indiens. C'était une mission délicate, qu'il réussit fort bien.

Envoyé à Dodge city, ville toujours turbulente, Bill Tilgham étudia le comportement des mauvais garçons qui infestaient les bars et les saloons, comme autrefois il avait étudié celui des buffalos dans la prairie. Il sut maintenir l'ordre, à la satisfaction des honnêtes gens, si bien qu'après un bref stage dans l'armée au Nouveau Mexique, il se vit, à son retour à Dodge city, alors une cow-town, offrir le poste de city-Marshall. On était en avril 1884. Un certain " Mysterious Dave " Mather tua à bout portant l'assistant de Bill, qui s'acharna contre le malfaiteur. Il y eut, dans les rues de la ville, une rencontre, épique au cours de laquelle des coups de feu furent échangés. Personne ne fut atteint. Mysterious Dave quitta la ville le lendemain. On ne le revit jamais plus à Dodge city.

Bill Tilgham arrêta le fameux Bill Doolin dans un établissement de bains, mais le malandrin réussit à s'échapper du pénitentier de Gunthrie. Quelques mois plus tard, il était abattu à bout portant par Heck Thomas, l'assistant de Bill Tilgham.

En 1911, la ville d'Oklahoma offrit à Bill le poste d'officier de police. Il vendit son troupeau et son ranch. Mais après

Bob Younger et son frère James furent les chefs d'un gang pilleur de banques et de trains.

Charles Bolton, voleur et poète.

A Coffeyville, dans le Kansas, le 5 octobre 1892, furent abattus **Bill Powers, Dick Broadwell et les célèbres frères Bob et Grant Dalton.**

deux ans, il démissionna et s'en fut reprendre du service à Cromwell, ville où l'on exploitait des gisements de pétrole et où sévissaient des gangs dangereux.

En 1924, Bill Tilgham prenait une tasse de café à un comptoir, quand un coup de feu claqua dans une rue toute proche. Il se précipita. Un homme ivre brandissait un revolver. Il tira. Bill Tilgham fut tué net, sur le coup et sans raison, après avoir été, pendant cinquante années, au service de l'ordre et de la loi, cinquante années durant lesquelles il avait, chaque jour, risqué dangereusement sa vie.

TERREUR AU WYOMING.

En 1878, George Parott, dit Big Nose George, dirigeait au Wyoming un gang redoutable qui en compagnie d'autres bandes faisait de fréquentes incursions dans le Montana. Après avoir opéré au Nouveau Mexique, George Parott revint au Wyoming. Il fut condamné à être pendu par le juge Peck en avril 1881. Il réussit à s'évader, attaqua un train, abattit un Sheriff. De nouveau arrêté avec ses complices Lacy et Opium Bob, il fut emprisonné. Une nuit une foule déchaînée envahit la prison se saisit des trois malandrins et les pendit aux poteaux télégraphiques.

Cette photo, tirée à l'envers, fit croire que Billy the Kid était gaucher.

CI-DESSOUS A GAUCHE: **Sam Bass, qui opéra longtemps au Texas.**

Lew Wallace, l'auteur de « Ben Hur », gouverneur du Nouveau Mexique accepta de recevoir, Billy the Kid et eut avec lui un entretien.

Apache Kid (le troisième debout depuis la gauche) en 1889, juste après son arrestation mais aussi peu avant son évasion.

Si George Parott fut la terreur du Wyoming un autre bandit suivit son exemple. Il se nommait Nathan Champion et était d'une exceptionnelle carrure. Mesurant près de 2 mètres et pesant plus de 100 kilos, il savait fort bien se servir d'un Colt et manier le lasso avec une rare adresse.

Les ranchmen excédés de se voir dépouillés de leurs plus belles bêtes firent appel aux services d'un détective Morrison. Pendant des mois et des mois le policier harcela Nathan Champion jusqu'au jour où en pleine rue il l'abattit d'un coup de revolver.

A cette époque, le Wyoming vivait dans la fièvre. Sur tout son territoire, sévissait ce qu'on appela " La Guerre des Troupeaux ". Cheyenne, au sud était considérée comme la " cow-men's capital ", c'est-à-dire la ville des propriétaires de troupeaux, tandis qu'au nord, Buffalo était appelée la " rustler's capital ", celle des voleurs de bestiaux.

DEUX JUGES PAS COMME LES AUTRES.

La Justice fut parfois rendue de bien curieuse façon dans l'Ouest. Ainsi à Fort Worth, dans l'Arkansas, sur la rivière du même nom, à la frontière de l'Oklahoma, aux alentours de 1875, un certain juge, nommé Isaac Charles Parker, étudia, au cours de 21 années, plus de 13.000 dossiers. Il

était d'une extrême sévérité et, sur ses verdicts, 85 condamnés furent pendus par l'exécuteur des hautes œuvres, George Maledon qui, après avoir été agent de police et deputy-Sheriff, devint bourreau à Fort Smith. Il imagina un système de pendaison permettant d'exécuter six hommes à la fois. George Maledon touchait 100 dollars par condamné.

Le juge Roy Bean était plus sympathique que son collègue Isaac Parker. Originaire du Kentucky, il vint s'installer après avoir visité le Mexique et la Californie, sur les bords de la Pecos river en un coin perdu où il ouvrit un tribunal qui était aussi un saloon. Exhibant des titres de juge qui ne disaient absolument rien, il rendit la Justice et comme ses décisions ne manquaient pas de bon sens on le considéra comme étant vraiment le plus grand représentant de l'autorité dans la région. Roy Bean tomba éperdument amoureux d'une actrice anglaise en tournée dans la région. Econduit, il donna néanmoins son nom, Langtry, au village perdu qu'il habitait. Roy Bean exigeait des curieux qu'ils consomment à son bar, s'ils voulaient assister à une audience. Ses déclarations ne manquaient pas d'humour. Un jour, jugeant une affaire relative au meurtre d'un homme trouvé mort sur le ballast d'une voie ferrée et dans les poches duquel on avait extrait un revolver et 45 dollars 60, il déclara : " — Cet homme portait une arme contrairement aux règlements en usage. Je le condamne donc à payer 42 dollars 60! " Et très calmement, il glissa la somme dans sa poche.

HORS-LA-LOI HORS SÉRIE

On compte dans l'Histoire de l'Ouest un certain nombre de femmes-despérados. Certaines ont tenu tête aux Sheriffs et aux Marshalls.

Belle Starr, de son vrai nom Myra Belle Shirley, fut ainsi une femme-bandit. Elle naquit à Carthage dans le Missouri, en 1846. Vingt six ans plus tard, elle épousa Jim Reed, qui possédait à Central, dans le Texas, un ranch, où l'on regroupait de nombreux chevaux volés. Après la mort de son mari, Belle vécut avec Bruce Younger, un des cousins des frères Younger de Coffeyville. En 1880, elle devint l'épouse de Sam Starr, puis connut de nombreux amants : Blue Duck, Jim French, Jack Spaniard et lorsque mourut son mari, elle se jeta dans les bras de son frère Jim Starr.

A la tête d'une bande de ruffians, Belle Starr, cavalière intrépide, habile au colt, fit beaucoup parler d'elle. Elle fut recherchée pour vols, abus de confiance et meurtres. Sa

Belle Starr, que l'on voit à gauche, avec Blue Duck, fut une redoutable femme-bandit. Elle tint en échec les plus habiles défenseurs de l'Ordre.

tête fut mise à prix pour plus de 10.000 dollars. Un matin, on découvrit son corps, dans le fossé bordant le chemin conduisant à son repaire. Elle avait été descendue par un certain Watson.

Sa fille, Pearl Starr, tint une maison de tolérance à Fort Smith, sur les quais de l'Arkansas river.

Entre les années 80 et 90, un gang redoutable sévit sur le territoire Indien, le futur Oklahoma, attaquant les banques et les trains. Leur chef était un certain William Doolin.

Bill Doolin s'étant installé à Ingalls, un centre assez tumultueux, avec saloons et maisons de jeu et de plaisir, vivait là avec ses compagnons et sa femme Edith, qui, fille d'un pasteur, l'avait suivi par amour et épousé bien qu'il fut recherché par tous les Shériffs. Bill Doolin la remercia d'ailleurs fort mal. Il s'éprit de deux gamines, qui avaient suivi la bande parce qu'elles voulaient devenir hors-la-loi, nommées Annie Mc Dougal, dite " Cattle Annie ", et Jennie Stevens, surnommée " Little Britches ", qui devinrent non seulement ses maîtresses mais aussi les messagères et informatrices de la bande.

Non loin du repaire de Bill Doolin se trouvait une ferme confortable. Il y avait là une jolie fille qui ignorait tout de son père et que l'on appelait Rose de Cimaron. Eperdument amoureuse d'un membre de la bande, George Newcomb, elle finit par travailler elle aussi, pour Bill Doolin.

Plusieurs Sheriffs, on s'en doute, avaient la bande à l'œil. Il y eut Bill Tilgham. Il y eut aussi Chris Madsen, un personnage passionnant de l'Oklahoma. Originaire du Danemark, il défendit son pays contre les Prussiens puis, en France en 1870, il combattit encore contre eux, en s'engageant dans la Légion Etrangère. Il participa à la bataille de Sedan. Fait prisonnier, il s'évada et se rendit aux Etats Unis où après avoir fait plusieurs métiers, il devint un des plus étonnants Sheriffs. Il mit hors d'état de nuire plusieurs membres redoutables du gang Doolin.

Quant à Rose de Cimaron, Cattle Annie et Little Britches, arrêtées, elles furent conduites toutes trois à Boston et jugées. Elles furent transférées au pénitencier de Framingham, dans le Massachusetts. Annie Mc Dougal, touchée par la grâce, finit religieuse dans un couvent.

Parmi les aventuriers de l'Ouest, on compte aussi un fameux outlaw indien. Il s'agit d'Apache Kid qui servit dans l'armée avec le grade de sergent, dans le corps des Eclaireurs du célèbre Al Sieber, jusqu'au jour où, en ayant assez, il déserta avec plusieurs de ses camarades. Avec eux, il constitua une bande qui se spécialisa dans le vol de bétail. Il se révéla d'une extrême violence et d'une rare brutalité. Traqué, pourchassé, Apache Kid descendit plusieurs représentants de l'ordre sur le point de l'arrêter.

Capturé, après avoir tué Glen Reynolds et Williams Holmès qui l'emmenaient à la terrible prison de Yuma, il s'évada encore. Dès lors, il ne cessa de s'acharner sur les chercheurs d'or et les ranchmen solitaires. Un ancien scout de l'armée, Hualipaï Clark, le surprit une nuit, rôdant autour de son corral, se préparant à lui voler des chevaux. Clark épaula son fusil, visa, tira et tua le voleur sur le coup.

Une autre version de sa mort assure qu'un de ses anciens compagnons de vol, Charles Anderson, l'ayant quitté, lui tendit une embuscade dans le Kelly canyon, près de San Marcos et le tua à bout portant, le 10 septembre 1905. Charles Anderson après cet exploit aurait oublié de réclamer les 50.000 dollars offerts en récompense.

Annie McDougal (Cattle Annie) et Jenny Steven (Little Britches).

Cattle Kat Watson, femme de Jim Averill, fut lynchée, avec son mari, par des ranchmen du Wyoming, pour avoir volé du bétail.

Rose de Cimaron, en dépit de son air candide, travailla pour le gang Doolin. Celui-ci opéra pendant longtemps en Oklahoma.

N° 12

La découverte imprévue d'Edmund Schieffelin fit surgir du sol une ville nouvelle : Tombstone.

DUEL A L'AUBE A O.K. CORRAL

Edmund Schieffelin, un prospecteur d'origine suisse, désespérait de trouver le filon mirifique, quand il fit, par hasard, une découverte qui devait changer le cours de sa vie.

Depuis des semaines et des mois, Edmund Schieffelin, un émigrant d'origine suisse, avait prospecté en vain dans toutes les vallées et tous les canyons de la San Pedro river, dans le sud de l'Arizona, à quelques miles seulement de la frontière mexicaine. Toutes ses recherches étaient demeurées vaines. Pas la moindre pépite. Découragé, n'en pouvant plus, à bout de force, il prit l'ultime résolution d'abandonner ses investigations et de rentrer au plus vite à Tucson.

Tirant derrière lui ses deux mules chargées de tout son matériel, il dégringolait un petit sentier serpentant parmi les rochers et les herbes rabougries. Quand soudain, en travers du chemin, apparurent les cadavres de deux mineurs, tombés sous les flèches d'Indiens apaches. Non loin de là, enfouie dans l'herbe, quelque chose scintillait. C'était une énorme pépite tombée d'un sac de cuir entr'ouvert.

Edmund Schieffelin n'osa en croire ses yeux. Il passa la main sur son front moite de sueur. Il saisit la pépite, la retourna en

La charmante petite gare de Tombstone est, encore de nos jours, telle qu'elle était autrefois.

la soupesant pour évaluer son poids qui semblait extraordinaire. Dans le sac, il trouva un plan, celui d'une mine, grossièrement dessiné. Le prospecteur ayant retrouvé tout son allant le consulta longuement et prit la résolution de se rendre aussitôt sur les lieux.

Sa rapide inspection le plongea dans un vif étonnement. Il y avait là de quoi satisfaire les plus exigeants : un filon d'un rendement prodigieux. Tout heureux, il enfourcha son cheval et se rendit à Tucson, pour y faire sa déposition, en bonne et due forme, devant l'agent du gouvernement. Celui-ci rédigea les formules et lui fit remarquer que la région était dangereuse, que les Indiens hostiles y rôdaient et sa mine risquait de devenir sa tombe. Edmund Schieffelin répliqua : " — Eh bien appelez le lieu Tombstone! "

La nouvelle s'étant répandue comme une traînée de poudre, une nuée de visiteurs, chercheurs, prospecteurs, commerçants et surtout aventuriers, déferla sur la région.

Il y eut tout d'abord, dispersées dans les prairies, des tentes de toile mais bientôt, le camp provisoire fit place à une petite bourgade qui, à son tour, devint une véritable ville.

Il y vint beaucoup de malandrins, d'aventuriers qui voulurent imposer par le Colt leur façon de voir. Ils firent de Tombstone une cité brûlante, infernale, inquiétante où, au milieu des tripots, des saloons, des maisons de plaisir, les honnêtes gens ne se sentaient plus en sécurité.

Parmi les nouveaux habitants des environs se trouvait un ranchman fortuné voulant soumettre à ses désirs tous ses voisins. Il exerçait une sorte de racket et avait à son service des hommes résolus qui lui étaient entièrement dévoués. Tous étaient prêts à exécuter sans la moindre discussion, les ordres les plus imprévus.

Tombstone vécut, alors, dans la peur et l'angoisse. Cela dura jusqu'au jour où un groupe de citoyens décidés supplièrent Wyatt Earp et ses frères d'assénir leur ville maudite.

UNE RENCONTRE MÉMORABLE

Au cours de l'année 1881, Tombstone, qui ne cessait de prendre de l'importance, aux dépens de Tucson, fut le théâtre d'une tragédie qui demeure encore aujourd'hui un des points culminants de l'histoire de l'Ouest : la rencontre meurtrière aux abords d'OK Corral, entre les représentants de l'Autorité et un groupe de dangereux malandrins.

Ike Clanton était le propriétaire d'un vaste ranch dans le Cochise county. Il prétendait être le maître absolu de la région et il menait la vie dure à ses voisins qu'il entendait devoir contrôler. Lorsque ses hommes se rendaient en ville, ils y faisaient grand tapage, bousculaient les paisibles citadins et semaient partout le trouble et le désordre. C'était pour eux, chose facile, car à cette époque la plupart des habitants de Tombstone avaient constamment le doigt sur la gâchette et étaient prêts à tirer à la moindre alerte.

Le 20 octobre, Ike Clanton et son gang se manifestèrent avec plus d'insolence que de coutume. Le ranchman-propriétaire avait bu bon nombre de whiskies et incitait ses compagnons à la bagarre. Le Shériff de Tombstone, John Beham, avait pour mission de maintenir l'ordre sur tout le Pima county. Il était tout dévoué à Ike Clanton, dont il recevait les instructions et auquel il obéissait aveuglément. John Beham se garda donc d'intervenir. Les hommes de Ike Clanton s'en donnèrent à cœur joie, déchargeant leurs colts dans les vitrines, brisant les réverbères, semant partout la panique.

Un homme, toutefois, mit fin à leurs excentricités. Il s'agissait du Deputy US. Marshall, Wyatt Earp, qui, devant la carence de John Beham, s'était décidé à intervenir. Avec l'aide de ses frères James, Virgil et Morgan, il désarma les

Voici ce qui reste de la première Chambre de Commerce de Tombstone.

perturbateurs et les boucla en dépit de leurs protestations. Le jour suivant, un des deux journaux de la ville, le "Tombstone Nugget", lequel était largement subventionné par Ike Clanton, publia un violent article contre Wyatt Earp qui, selon le journaliste, avait outrepassé ses droits.

Le lendemain, l'autre quotidien le " Tombstone Epitaph " (lequel continue à paraître fort régulièrement de nos jours) répondait en rectifiant les faits qui, on s'en doute avaient été déformés par les amis de Ike Clanton.

Cette controverse ne fut pas pour arranger les choses. Les uns dans la ville approuvaient l'attitude de Wyatt Earp et de ses frères; les autres, plus nombreux, hélas, courbant l'échine, abondaient dans le sens d'Ike Clanton. L'atmosphère entre les deux clans ne cessa de monter.

Le " Tombstone Nugget " entama une très violente campagne contre le Deputy U.S Marshall qui en imposa à ses lecteurs. La population, qui d'ailleurs, ne valait pas grand chose, dans son ensemble, finit par être d'accord avec les articles du " Nugget ". Pour la plupart Wyatt et ses frères en avaient trop fait. Ils avaient outrepassé leurs droits et empiété sur les prérogatives de John Beham, seul représentant accrédité pour défendre les Lois à Tombstone.

Ike Clanton, satisfait de voir l'opinion publique favorable à son égard, eut l'audace et le cynisme de lancer un défi au Deputy US. Marshall.

Il lui proposa une rencontre, à l'aube, dans un coin désert de la ville.

Le « Tombstone Epitaph » paraît toujours, mais ses bureaux ont changé de place. On visite quand même ses ateliers.

James Earp.

Wyatt Earp.

Virgil Earp.

Wyatt Earp était un homme courageux. Il avait donné des preuves de sa témérité et de son adresse, alors qu'il était Shériff à Dodge City et dans plusieurs cow-towns du Kansas et lorsqu'il avait participé à plusieurs grandes chasses aux bisons. Il n'était pas homme à s'effacer. Il accepta.

Le jour fut fixé au 26 octobre, dans les toutes premières heures de la matinée.

Le lieu choisi : un vaste terrain vague, avec quelques masures délabrées et des fondrières, à proximité de l'enclos appelé OK. Corral. Non loin de là, se trouvait un petit laboratoire dans lequel le photographe Ely développait ses plaques. Wyatt Earp ayant relevé le défi, ses frères, Virgil, Morgan et John étaient bien sûr à ses côtés. De même Doc Holliday.

Un curieux personnage, ce Doc Holliday. Une des figures les plus marquantes de Tombstone dont il fréquentait tous les tripots et les lieux malfamés où l'on jouait aux cartes. Joueur professionnel il était le fils d'une excellente famille de Louisiane. Ayant fait ses études de dentiste, il ne put exercer, étant atteint de tuberculose. Ses médecins lui conseillèrent d'aller respirer l'air plus sec de l'Ouest. Il alla ainsi de ville en ville, de saloon en saloon. Un jour il rencontra Wyatt Earp, auquel il sauva miraculeusement la vie. Il devint son ami et dès lors, le suivit comme un chien fidèle. Doc Holliday était loin d'être un saint. Il buvait sec, se querellait souvent avec sa maîtresse Kate Fisher "Big Nose" et avait quelques peccadilles sur la conscience.

Au moment de l'affaire de Tombstone, on le soupçonnait très sérieusement d'avoir attaqué une diligence à quelques miles de la ville et abattu un garçon, Bud Philpot, qui était justement un membre de l'équipe d'Ike Clanton. Lorsque ce dernier apprit qu'il se rangeait aux côtés de Wyatt Earp, sa colère ne fit que grandir.

La veille de la rencontre Ike Clanton, flanqué de son fidèle second, Tom Mc Lowery, arriva en ville à bord d'un chariot couvert, portant une selle à réparer chez le bourrelier. Ils devaient être rejoints, quelques heures plus tard, par Billy Clanton et Frank Mc Lowery, qui ensemble, s'étaient rendus à Charleston.

Au cours de la nuit, Ike Clanton chercha querelle à Doc Holliday mais refusa de sortir dehors pour s'expliquer lorsque le dentiste le lui proposa. L'atmosphère, on s'en doute, était fiévreuse. La ville était silencieuse. Les gens buvaient accoudés au bar, sans dire le moindre mot. Les cartes restaient sur le tapis de drap vert. On était sur le qui-vive derrière les volets fermés. Chacun attendait l'instant critique, l'explosion, qui risquait d'éclater d'un moment à l'autre. A l'heure dite, les frères Earp, qui s'étaient regroupés, quittèrent le Shériff-Office. Ils furent rejoints non loin de là par Doc Holliday qui tenait son arme plaquée contre lui sur le côté droit, et ensemble, très décontractés, silencieux et attentifs à tout et au moindre bruit, ils gagnèrent le lieu de la rencontre.

L'un des cinq hommes, déclara entre ses dents : " — Ike Clanton veut la bagarre! Eh bien, il l'aura! "

Morgan Earp.

Doc Holliday, un joueur professionnel, se prit d'amitié pour Wyatt Earp qu'il suivait comme un chien fidèle.

Doc Holliday débuta dans la vie comme dentiste à Dodge city. Mais, tuberculeux, il dut partir dans l'Ouest.

DENTISTRY.

J. H. Holliday, Dentist, very respectfully offers his professional services to the citizens of Dodge City and surrounding country during the summer. Office at room No. 24, Dodge House. Where satisfaction is not given money will be refunded.

Ike Clanton, son jeune frère Bill et les deux frères Tom et Frank Mc Lowery — des cow boys de la San Pedro valley très dévoués à Ike Clanton — étaient là.

Un homme s'avança à la rencontre du premier groupe. C'était le Shériff John Beham qui, sans grande conviction, fit remarquer que les frères Earp, pour obéir aux règlements, devaient immédiatement lui remettre leurs armes. Personne ne fit attention à lui. John Beham n'insista pas et, prudemment, s'écarta pour se mettre à l'abri.

Alors Ike Clanton porta la main droite à son holster pour dégainer son Colt. Il n'acheva pas son geste. Wyatt Earp tira avant lui et l'atteignit en plein ventre. Le fermier s'écroula à terre, baignant dans son sang.

Dès lors, dans le terrain vague proche d'OK. Corral ce ne fut plus qu'une diabolique partie de cache-cache et de tir. Chacun des adversaires mettait à profit les moindres accidents du terrain, se dissimulant derrière le plus petit obstacle, guettant les mouvements de chacun des hommes du camp opposé, en cherchant à tirer profit de la situation.

Doc Holliday, qui était armé d'un fusil coupé — son arme. de prédilection — visa Tom Mc Lowery et le tua. Morgan Earp atteignit Billy Clanton et Wyatt Earp descendit Frank Mc Lowery, qui s'était arrêté au milieu de la rue, pour vérifier son revolver. Virgil Earp lui, fut atteint à la jambe. Le combat fut bref. Il dura tout juste une minute. Soixante secondes, au cours desquelles 30 coups de feu furent échangés. Lorsque le calme revint, il y avait 3 morts parmi les despérados : Billy Clanton et les deux frères Mc Lowery. Ike Clanton, le responsable de tout ce duel, avait sauvé sa peau, mais il était sérieusement blessé.

Pas de mort parmi les défenseurs de l'ordre. Seulement deux blessés : Virgil Earp au mollet et Morgan légèrement atteint aux épaules.

Le résultat fut aussitôt colporté en ville — John Beham s'en chargea — et suscita de nombreux commentaires. Certains allèrent jusqu'à déclarer que tout ne s'était pas passé correctement. Les frères Earp furent alors mis en état d'arrestation, mais ils purent prouver qu'ils avaient agi en tant que représentants de l'Autorité et qu'ils avaient simplement assumé leurs fonctions de Peace Officers.

Une vive polémique s'engagea entre les deux journaux. Ike Clanton, se remettant lentement de sa très grave blessure, n'avait pas désarmé pour autant. Il exigea une enquête et un procès. Wyatt Earp eut à se défendre farouchement. Il fut acquitté. Dès lors, les Earp vécurent continuellement en alerte. Ils ne sortaient qu'armés. En effet, on assurait qu'Ike Clanton n'était pas homme à laisser l'affaire en suspens. Peu lui importait sans doute les morts de Tom et Franck Mc Lowery. Mais son frère Bill était resté sur le terrain. Il était bien décidé à le venger. Et pour cela, il aurait recours à des hommes de main, à des tueurs à gages.

Dans les premiers jours de 1882, par un soir d'orage un homme tira à bout portant sur Virgil Earp qui fut très sérieusement atteint et dut rester immobile un long moment. Quelques mois plus tard, Morgan Earp qui venait d'être relevé de son travail, était en train de disputer une partie de billard avec Bob Hatch, un des patrons de l'établissement se trouvant dans Allen street, à l'enseigne du " Campbell and Hatch Billiard Parlor ". Deux coups de feu, brusquement, claquèrent. L'un d'eux atteignit Morgan Earp mortellement; le second, frôlant l'oreille de Wyatt Earp qui arbitrait la partie, s'en fut se loger dans le plafond. Morgan Earp mourut dans les bras de son frère.

Dans les premières heures de la matinée ce jour-là, les Earp avaient appris la venue prochaine à Tombstone de Frank Stilwell, Swilling, Pete Spence et de Florentino " Indian Charlie " Cruz, tous étant des partisans d'Ike Clanton. Le corps de Morgan Earp fut chargé dans le train, le lendemain pour être enterré en Californie. Virgil Earp, toujours boîtant, soutenu par son épouse, l'accompagnait. De même, Wyatt Earp, Doc Holliday, Texas Jack Vermillion, Turkey Creek Johnson et Warren Earp, qui était revenu à Tombstone dès qu'il avait appris ce qui était arrivé à son frère Virgil. Le blessé et sa femme descendirent à Tucson. Les autres devaient continuer leur route vers Phœnix. Mais à Tucson, le lendemain, on trouva le cadavre criblé de balles de Frank Stilwell couché sur le ballast.

Comprenant qu'il lui était désormais impossible de vivre à Tombstone, Wyatt Earp quitta cette ville pour aller s'installer dans le Colorado, où le gouverneur refusa de l'extrader pour le meurtre de Frank Stilwell. Il partit ensuite en Alaska et remonta les cours du Yukon et du Klondike, à la recherche de l'or. Devenu riche, il redescendit en Californie, vécut à Los Angeles où, il mourut en 1929, à l'âge de 81 ans. Warren son plus jeune frère, fut tué par un voleur de chevaux au Nouveau Mexique et Virgil décéda de mort naturelle à Goldfield, dans le Nevada.

Quant à Doc Hollyday, il continua à mener sa vie d'aventures dans les bars et les saloons. Il mourut en 1885, au sanatorium de Glenwood Springs, dans le Colorado. Il était âgé de trente cinq ans. Laissant échapper le verre de whisky qu'il avait à la main, il soupira : " — Je suis damné ! " et mourut.

N° 13

Ike Clanton.

Tom Mc Lowery.

Frank Mc Lowery.

TOMBSTONE

(1) La mine « Empire ». (2) La « Toughnut ». (3) La « Contention ». (4) Réservoir d'eau. (5) La mine « West side ». (6) La « Tribute ». (7) La « Prompter ». (8) La « Gregon ». (9) La « Lucky cuss ». (10) La piste de Charleston (9 miles). (11) La mine « Etat du Maine ». (12) Lieu des exécutions capitales, plus tard site du palais de justice. (13) Carte du centre de Tombstone. (14) En 1907. Une voiture attelée de deux chevaux disparut engloutie par l'effondrement d'une ancienne mine. L'attelage put être sauvé après avoir parcouru plus d'un mile à travers d'anciennes galeries, avant d'atteindre la sortie. Le puits, par lequel fut précipitée la voiture, subsiste encore. (15) Entrée de la mine « Good enough ». (16) Cabanes des mineurs. (17) Palais de justice construit en 1882. (18) Le Russ House, hôtel restaurant pour mineurs. Propriété de Nellie Cashman. (19) De gauche à droite l'Oriental Saloon et le Crystal Palace Saloon. (20) Le Vogan's Bowling alley où Wyatt Earp tint tête à une émeute qui prétendait lyncher un meurtrier. (21) Allen Block une des premières banques de Tombstone. (22) Calan Restaurant. (23) Aaffords Saloon. (24) Cosmopolitan Hotel où Frank Leslie tua Mike Kileen. (25) Bob Hatch's Billard Hall où Morgan Earp fut tué le 20 mars 1882. (26) Bird Cage Theatre. (27) Les écuries de OK Corral où furent tués le juge Burnett et le docteur G.C. Willis. (28) Le quartier chinois. (29) Site de la bataille dite de OK Corral. (30) Le journal « Tombstone Epitaph » en face de l'entrée arrière

de OK Corral. (31) Schieffelin Hall à la fois salle de réunion et centre culturel. (32) Le quartier chinois. (33) Doc Holliday. (34) John Behan. (35) Les écuries de OK Corral. (36) Le Juge Burnett est tué par erreur pour un crime qu'il n'avait pas commis. (37) Morgan Earp tué au Bot Hatch Saloon. (38) Morgan Earp. (39) Pour plus de clarté les 4e et 5e rues sont confondues. (40) Frank Leslie tue Clairborne qui l'avait provoqué. (41) Johnny Ringo tue Hancok, un ivrogne invétéré, parce que celui-ci trouvait trop familière une remarque de Ringo sur une femme qui passait. (42) Virgil Earp tué par un tireur caché sous l'auvent du tailleur. (43) Le Sheriff White tué par Curly Bill alors qu'il voulait empêcher une bande de cow-boys ivres de faire du tapage à coups de revolver. (44) Luke Short, ami de Wyatt Earp, tue Charlie Stown qui le provoquait. (45) Virgil Earp. (46) Entrée arrière de OK Corral. (47) Magasin du boucher Bauer. (48) Maison des Fly. (49) Studio de Fly, photographe. (50) Ike Clanton seul survivant de la bande. (51) John Behan, sans arme, s'éloigne de la fusillade. (52) Site de la bataille dite de OK Corral : un terrain vague qui n'appartient pas à OK. Mais le jeu de mot (OK veut dire no killed) était irrésistible pour une fusillade aussi meurtrière. (53) Position des personnages juste avant la fusillade. (54) Billy Clanton. (55) Doc Holliday. (56) Frank Mc. Lowery. (57) Morgan Earp. (58) Wyatt Earp. (59) Virgil Earp. (60) Tom Lowery. (61) Troisième rue. (62) Fremont Street. (63) Wyatt Earp.

Little Big Horn a inspiré plus d'un artiste et l'on compte des centaines de compositions picturales, toutes plus fantaisistes les unes que les autres.

LE DERNIER COMBAT
DU GÉNÉRAL GEORGE A. CUSTER

Le dimanche 25 juin 1876, l'armée américaine essuya la plus cuisante défaite de toute son histoire.

Un détachement du 7ème Cavalry, en garnison à Fort Lincoln, dans le Dakota et commandé par le général George A. Custer, fut massacré sur les collines bordant la Little Big Horn river, dans le Montana.

Le gouvernement américain avait décidé de regrouper les tribus indiennes dans des réserves, afin de pouvoir mieux les

surveiller et les mater plus facilement en cas de rébellion. Les Peaux Rouges, en effet, montraient, depuis quelque temps, une certaine nervosité. Les patrouilles envoyées en reconnaissance, rapportèrent que des Cheyennes, des Mini-conjoux, des Oglalas et des Sans-Arcs avaient répondu à l'appel de Sitting Bull et se préparaient à la guerre.

Par ailleurs, dans les Black Hills, territoire concédés par traités aux Indiens, des prospecteurs, se souciant peu des accords

Le général Custer, au milieu de quelques uns de ses scouts indiens.

Rencontre entre le général George A. Custer et plusieurs chefs indiens.

passés, avaient fouillé le lit des cours d'eau et trouvé de l'or. Les Peaux Rouges devaient donc être déplacés. Lorsqu'ils apprirent cette décision, ils refusèrent de quitter les Black Hills, où reposaient leurs ancêtres et abondaient les bisons. Ulysse Grant, président des Etats-Unis, chargea le général Alfred H. Terry de prendre la direction des opérations contre les Hostiles. S'étant installé à Fort Lincoln, le général mit, aussitôt, au point un plan de campagne.

UN DÉPLOIEMENT IMPORTANT

Le 1er avril, le général John Gibbon avait quitté Fort Ollis, dans le Montana. Ses troupes ayant descendu le cours du Yellowstone, visitèrent les deux rives, afin d'empêcher les Indiens de gagner le nord.

De son côté, le général Alfred H. Terry, après avoir quitté son quartier général, remonta le Missouri, afin de faire sa jonction avec John Gibbon. S'il avait rencontré des Hostiles, il les aurait rabattus sur ce dernier.

Alfred H. Terry avait également prévu le cas où les Indiens se voyant la route du nord coupée, tenteraient une esquive vers le sud. Il avait donné ordre au général George Crook de quitter fort Fetterman, au Wyoming, et de visiter les Black hills. Celui qu'on appelait le « Mangeur d'Indiens », se mit en route le 29 mai, avec cinq compagnies d'Infanterie. Pris entre trois corps d'armée, ne trouvant aucune issue, les Peaux Rouges auraient dû être écrasés ou obligés de se rendre. Les pronostics d'Alfred H. Terry furent déjoués. Le chef des opérations fit normalement sa jonction avec John Gibbon, à l'embouchure de la Rosebud river. Les deux généraux se rencontrèrent à bord du ferry « Far West ». On leur signala la présence, dans la région, de plusieurs groupes d'Indiens. Le major Marcus Reno, un des officiers d'Alfred H. Terry, poussa une reconnaissance assez avancée et, à son retour, fut formel. Il n'avait vu aucun rassemblement d'Indiens, aux abords de la Powder river. Cela voulait dire que les Peaux Rouges n'avaient pas pris la direction des Mauvaises Terres, mais qu'ils devaient se trouver entre les Rosebud et Yellowstone rivers, dans une des nombreuses vallées, dont les plus importantes étaient celles des Big Horn et Little Big Horn rivers.

Alfred H. Terry et John Gibbon se mirent en route, bien que n'ayant aucune nouvelle de George Crook. Cette absence aurait pu leur paraître inquiétante. Ils s'imaginèrent que George Crook avait été retardé. En réalité, il était surveillé

depuis déjà deux jours par plusieurs chefs indiens, notamment par Crazy Horse, un des plus habiles.

Tandis que le 17 juin, ils campaient sur les berges de la Rosebud river, les cavaliers de George Crook, qui avaient emmené leurs chevaux à l'abreuvoir, furent attaqués par un détachement de guerriers sioux. Ce furent les Snakes et les Crows, ennemis héréditaires des Sioux et pour le moment alliés des Visages Pâles qui, au plus fort de la mêlée, permirent à George Crook de se ressaisir.

Renonçant à poursuivre leur attaque, les Sioux se replièrent après avoir tué douze soldats et blessé vingt-quatre et en emmenant avec eux une centaine de chevaux.

Le général George Crook, ignorant l'importance de ses adversaires, rebroussa chemin et s'en fut chercher des renforts. Il fit bien, car, sans le savoir, il était tombé sur les avant-postes de Sitting Bull. S'il avait poursuivi sa route, il aurait rencontré le gros des troupes de ce chef sioux.

Le général Alfred H. Terry, qui avait peine à freiner son impatience, décida de frapper un grand coup. Il dépêcha un messager au général George A. Custer qui, à Fort Lincoln, commandait un détachement du fameux 7ème Cavalry. Il lui donna ordre, de se mettre en route et de le rejoindre en cherchant sur sa route à repérer les rassemblements peaux rouges. George A. Custer fut choisi parce que ses cavaliers soumis à une rude discipline, étaient beaucoup plus mobiles que les fantassins de John Gibbon lesquels, en campagne depuis février, s'étaient accoutumés à considérer les Indiens comme leurs ennemis personnels.

UN CURIEUX CHEF

George A. Custer était alors âgé de trente-cinq ans. Plein de force et de santé, il était le type du héros militaire entreprenant et aventureux. Buté et têtu, il se moquait des ordres reçus et, souvent, il agissait selon son bon vouloir. Il était, d'ailleurs, passé deux fois en conseil de guerre; d'abord pour avoir fait venir près de lui sa femme Elisabeth, dans une lointaine garnison de l'ouest et cela malgré l'interdiction de ses chefs; ensuite à la suite de son raid sauvage sur le camp de Black Kettle, sur la Washington river, dans l'Indian Territory. Appelé à Washington, il avait encouru les foudres du président Ulysse Grant et avait dû à l'intervention d'Alfred H. Terry et de John Gibbon, de ne pas être privé de son grade et de son commandement.

Colonel Fred Benteen.

Sitting Bull.

Major Marcus Reno.

(1) Tom Custer 1er lieutenant.

(2) Général George A. Custer.

(3) Lieutenant James Calhoun.

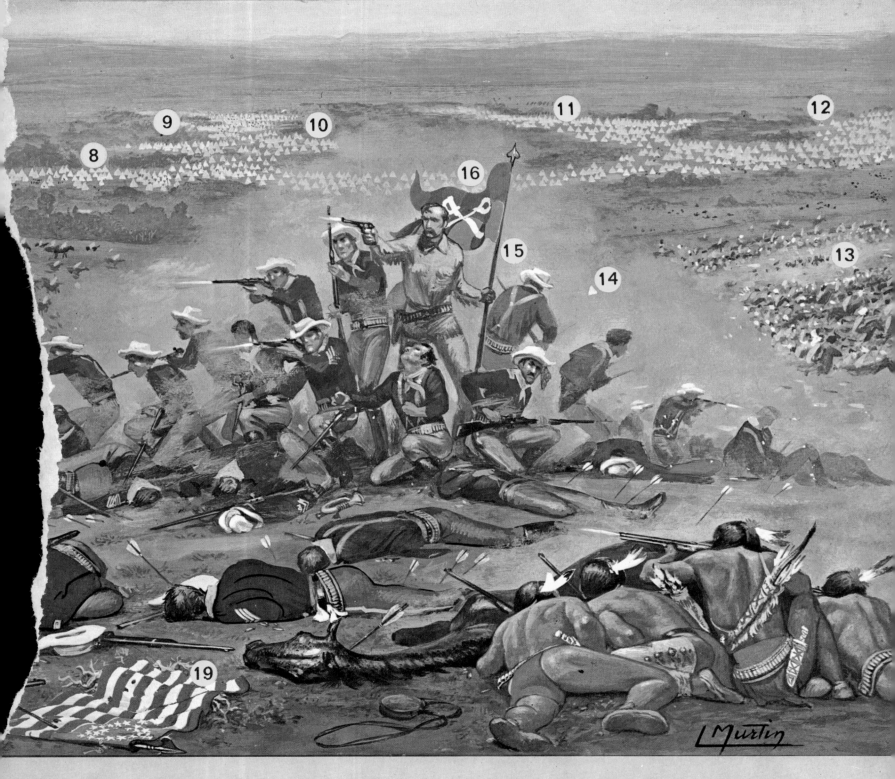

L Murtin

(7) Hunkpapa. (8) Sans Arcs. (9) Miniconjous ou Dakotas. (10) Oglalas. (11) Sioux brûlés. (12) Cheyennes. (13) Emplacement du corps de Tom Custer. (14) Emplacement du corps du lieutenant Smith. (15) C'est ici que devait tomber le Général Custer. (16) Fannion personnel de Custer. (17) Winchester à répétition utilisée par la plupart des Indiens. (18) Carabine à un coup dont était encore équipé le 7e Régiment de Cavalerie. (19) Drapeau américain du 7e Régiment de Cavalerie.

LITTLE BIG HORN

Le Général Custer et ses hommes du 7e Régiment de Cavalerie luttèrent courageusement jusqu'à la mort.Les Indiens, selon leur habitude tactique, ne cessèrent de tournoyer autour des visages pâles qui formèrent le dernier carré. Dès qu'un soldat était abattu, un indien tentait de lui ravir son arme. Au loin on aperçoit les emplacements occupés par les tribus indiennes. (4) Le corps du Capitaine Keogh a été retrouvé de ce côté. (5) Emplacement du corps du lieutenant Calhoun. (6) Retranchement où s'est replié Réno.

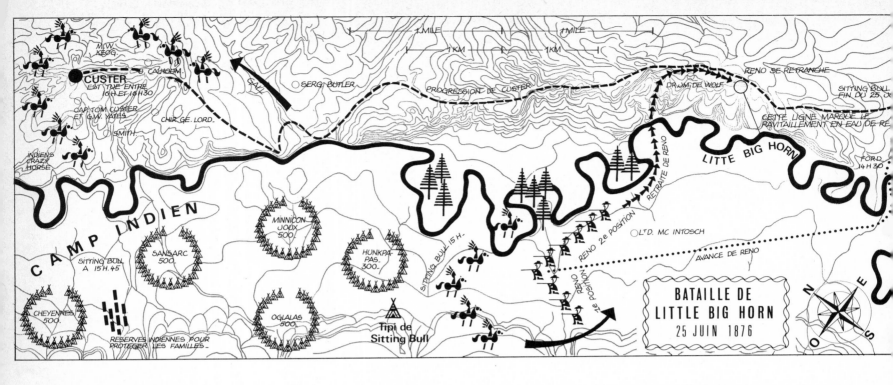

George Custer n'était pas général en titre, mais se donnait ce grade, qu'il avait tenu pendant un temps, durant la guerre de Sécession. Il portait une tenue militaire de la plus haute fantaisie, veste de cuir et foulard rouge de pompier. Lorsqu'il se dressait sur ses étriers, brandissant son sabre, laissant flotter au vent, les longues boucles de sa chevelure, il commandait la charge avec cette exclamation familière : « *Charge ! God damn them !* » (Chargez, que Dieu les damne !) Et il faisait sonner, par son clairon, « *Garry Oven* », la marche du régiment. Electrisés par son exemple, ses hommes se précipitaient à sa suite.

George Custer devait débusquer les Indiens en suivant la piste signalée peu de jours auparavant par le major Marcus Reno lequel, parti de la Rosebud river, progressait vers les Big Horn et Little Big Horn rivers, où après, avoir reconnu les positions de Sitting Bull, il devait attendre Alfred H. Terry.

Un journaliste du « Bulletin » de Bismark, capitale du North Dakota, et correspondant du « New York Herald », Noah Kellog, accompagnait la troupe, pour faire un reportage sur le 7ème Cavalry,

Le 25 juin, George A. Custer devait trouver la mort dans une embuscade tendue par les Sioux et les Cheyennes, sur les hau-

teurs dominant un important village, sur la rive gauche de la Little Big Horn river, en territoire dépendant du Montana. Il semble que ce jour là, George Custer ait oublié toute prudence avant et pendant l'action. De plus, les Peaux Rouges furent dirigés par le chef Gall, un des plus habiles stratèges, qui leur évita de faire des fautes tactiques. Ne dispersant pas leurs forces, les Indiens se portèrent au devant des troupes de Marcus Reno et celles-ci en un clin d'œil, furent mises dans l'impossibilité de reprendre l'initiative. Les guerriers rouges poursuivirent Marcus Reno un certain temps puis le laissèrent sur les hauteurs où il avait pris refuge. Ils se portèrent alors vers George Custer qui avec ses cinq escadrons progressait sur la rive droite de la rivière. Si à ce moment George A. Custer ne voyait pas encore les Peaux Rouges, ceux-ci, par contre, l'avaient repéré depuis un certain temps, grâce à la « tour de poussière », laquelle provoquée par les sabots des chevaux du 7ème Cavalry, s'élevait dans le ciel. Avant de prendre position, les Sioux et les Cheyennes laissèrent derrière eux leurs mustangs (chevaux sauvages) et progressèrent lentement à pied.

Au nord du village indien, quinze jeunes cavaliers rouges en selle, trépignaient d'impatience. Gravissant la pente au galop, ils parvinrent à la crête, où ils s'arrêtèrent. Le premier,

Le « Bulletin » de Bismark annonça le premier la défaite de Custer

John Gibbon

Alfred Terry

lorsqu'il vit la colonne de Custer, alerta trois de ses compagnons, qui transmirent la nouvelle derrière eux.

Alors les quatre garçons foncèrent en avant, droit sur les Visages Pâles, en poussant leurs cris de guerre. En les voyant apparaître puis dévaler la pente, les cavaliers de Custer s'arrêtèrent aussitôt, cloués par la surprise.

George A. Custer pensa alors que si quatre Indiens osaient ainsi le narguer, c'était parce que, non loin de là, une embuscade leur était tendue. Il donna ordre à ses hommes de ne pas bouger et envoya une patrouille en reconnaissance.

UNE ERREUR DE TACTIQUE

De l'endroit où il se trouvait, George A. Custer voyait fort bien les camps sioux et cheyenne et, non loin de là, le gué qu'il devait utiliser. Il hésita à s'y rendre et ce fut ce qui le perdit. Fixant son regard sur les tipis du village indien, brandissant à bout de bras son large feutre sombre, il s'écria : « Hurrah! Voici la fortune de Custer! Le plus gros village peau rouge du Continent! »

Retrouvant tout à coup sa nature belliqueuse, il décida de passer à l'attaque, sans attendre Alfred H. Terry.

Laissant en réserve, sur les collines de la rive droite, quatre escadrons, sous le commandement du colonel Fred Benteen, il scinda ses forces en deux. Tandis que le major Marcus Reno remonterait la vallée pour franchir la rivière en amont du village indien il la traverserait en aval, avec le reste de ses hommes. Pas une seule seconde George A. Custer ne pensa que les Indiens pouvaient avoir une supériorité numérique.

Les deux détachements se séparèrent et progressèrent dans des directions différentes. Une dernière fois, les hommes de Marcus Reno virent George A. Custer agiter son chapeau et entendirent les exclamations poussées par ses soldats.

Marcus Reno continua à progresser en direction du gué, sans rencontrer la moindre résistance mais il fut bientôt environné par une multitude d'Indiens. Il dut penser à battre en retraite.

Fléchissant sous la poussée de ses ennemis Marcus Reno entraîna ses trois escadrons le long de la Little Big Horn river, là où les cottonwoods offraient un abri aux hommes et leurs chevaux. Les Indiens, se répandant sur chaque rive, déclenchèrent une vive fusillade. Marcus Reno, qui attendait toujours l'attaque de diversion promise par George A. Custer, ne tarda pas à se trouver dans une situation désespérée.

Le scout Bloody Knife se trouvait près du major, lorsqu'une balle l'atteignit en plein front. Son chef reçut quelques

Des vétérans viennent s'incliner devant la tombe de leur ami Keogh.

gouttes de sang. Il ordonna alors : « Rassemblement dans la clairière! »

Les trois escadrons, ayant subi de sérieuses pertes, se regroupèrent. Alors Marcus Reno, voulant atteindre le gué en amont et le franchir, chargea hors des bois. Mais les guerriers rouges harcelèrent ses arrières, qui furent bientôt en fâcheuses postures.

Le gué fut quand même atteint, au prix de mille difficultés, Il fut traversé sous un feu meurtrier. Plus de la moitié des hommes du major périrent dans les eaux de la rivière. Bien que blessé, Marcus Reno réussit à atteindre les hauteurs voisines et se préparait à déclencher une contre-attaque, lorsque, brusquement, l'ennemi fit demi tour et regagna son camp.

Le colonel Fred Benteen, qui se trouvait non loin de là, dans une position d'attente, accourut pour secourir ses malheureux compagnons. Le « pack-train » arriva, peu après. Des munitions furent distribuées aux hommes du major. Une vive fusillade retentit. Les militaires pensèrent à Custer.

Marcus Reno allait se remettre en route pour se porter au secours de ses compagnons, quand de nouvelles bandes d'Indiens, débouchant de toutes parts, l'obligèrent à ne plus penser qu'à sa propre défense.

Le chef cheyenne Two Moons, qui participa à la fameuse bataille, sous les ordres de Gall, est revenu sur le terrain, une fois la paix rétablie.

N° 14

Camp du 7ème Cavalry établi sur la piste, entre fort Lincoln et les vallées des Big Horn et Little Big Horn rivers. Nul ne croit à une bataille possible.

La nuit apporta un léger répit. Les assiégés demeurèrent sur le qui-vive, au milieu des gémissements des blessés et surveillés de loin par les Peaux Rouges, dont on apercevait les feux, aux sommets des crètes des collines voisines.

DANS L'ENFER DU COMBAT

Le jour venu, les hommes du major qui manquaient d'eau et dont les chevaux tombaient d'épuisement, constatèrent que toutes les collines voisines étaient noires d'Indiens. Ils étaient plus de quatre mille.

La situation empira vers midi. Alors, sous le feu des guerriers rouges, les soldats firent la chaîne, vers la rivière.

Le reste de la journée se passa dans une tranquillité relative. Mais le jour suivant, les Peaux Rouges recommencèrent l'attaque. Pendant deux heures, on se fusilla avec une rage sans pareille. La force numérique des Indiens allait leur donner l'avantage, lorsqu'à sa grande surprise, Marcus Reno vit ses adversaires faire demi tour et foncer vers l'ouest.

Quelques heures plus tard, apparaissaient les scouts d'Alfred Terry et de John Gibbon. Avertis par leurs patrouilles, les Peaux Rouges avaient prudemment battu en retraite. Le lieutenant Weir quitta la position de Marcus Reno et progressa vers le nord. Au fur et à mesure qu'il avança,

Le général Nelson A. Miles avec certains officiers de son état-major.

les coups de feu se firent plus espacés. Mais il y eut tout à coup des rafales plus rapides et plus vives tirées par des Sioux venant barrer la route à Weir, qui se vit dans l'obligation de faire demi tour et de regagner au plus vite la colline où se trouvaient Fred Benteen et Marcus Reno.

Chacun croyait que le général George A. Custer s'était prudemment éloigné vers le nord ; mais, la vérité était tout autre.

Peu après avoir vu s'éloigner George A. Custer, Alfred Terry s'était mis en route. Progressant dans la vallée du Yellowstone, il atteignit le 25 juin, le confluent de la Big Horn river. Ce même jour, des Indiens qui assurèrent être des anciens scouts de George A. Custer, déclarèrent que celui-ci, surpris par une troupe de Sioux très importante, avait été tué avec tous ses hommes. Le général Alfred H. Terry ne voulut pas les croire, mais admit, toutefois, que Custer ayant rencontré quelques résistances, avait dû s'arrêter.

Le 26 juin, des éclaireurs d'Alfred H. Terry, arrivés aux confluents de la Big Horn, durent se replier devant l'importance des forces indiennes qui se trouvaient devant eux.

Alfred H. Terry commença à s'inquiéter.

Que pouvait faire Custer ? Qu'était-il devenu ?

LA TRAGIQUE VÉRITÉ

Reprenant sa marche en avant, Alfred H. Terry arriva au grand village indien. Dans une des deux seules tentes restées debout, des cadavres d'Indiens vêtus de leurs costumes de guerre, étaient étendus près de leurs chevaux. Autour des tipis, dehors, le sol était jonché de morts, des hommes du 7ème Cavalry.

Ce fut le 27 juin, qu'il envoya des patrouilles sur les deux rives. Celles-ci revinrent avec la tragique nouvelle.

Un éclaireur déclara avoir trouvé Marcus Reno replié sur une hauteur, avec quelques rescapés du 7ème Cavalry. Alfred H. Terry se porta aussitôt à l'endroit indiqué et trouva là des hommes livides, exténués, abattus, qui s'avancèrent en larmes à sa rencontre.

Un peu plus tard, lorsqu'un calme relatif fut revenu, il fut possible de suivre les traces de George A. Custer, en partant du lieu où il s'était séparé de Marcus Reno. Cette trace suivait, pendant trois miles, les hauteurs de la rive droite et descendait vers la rivière, qu'elle quittait brusquement, comme après une infructueuse tentative de passage. Elle remontait sur les hauteurs, tournait sur elle-même, pour, enfin, s'arrêter. Elle était jonchée tout au long de cadavres d'officiers, de soldats et de chevaux.

Lorsque George A. Custer avait commandé la charge, les

Le seul rescapé de la bataille, « Comanche » qui mourut de vieillesse.

loin, d'une petite éminence, près du village sioux et cheyenne, en bordure de la rivière. Près de lui, se trouvait une troupe prête à intervenir en cas de besoin. Venant des lieux du combat, un messager fit part au chef sioux-hunkpapas de l'issue de la bataille. Il dit : « C'est fini! Ils sont tous morts! »

PAS UN SEUL SURVIVANT

Lorsque le général Alfred H. Terry fit les premières constatations sur les lieux des affrontements, il découvrit George A. Custer couché à l'extrémité de la piste, sur le dernier monceau de cadavres. Près de lui, son frère Thomas et le fils de celui-ci, un garçon de dix-neuf ans. Plus loin, un autre frère de George A. Custer gisait avec Kellog, correspondant du « New York Herald ». Les corps étaient atrocement mutilés. Trois hommes seulement n'avaient pas été scalpés : George A. Custer, en hommage à sa bravoure; le journaliste, parce que son quotidien avait toujours plaidé en faveur des Indiens et Keogh, un capitaine d'origine irlandaise, parce qu'il portait au cou un scapulaire.

Grâce aux traces relevées aux abords du camp indien, on put évaluer les forces indiennes à 6.000 hommes, dont 2.000 guerriers. Les Peaux Rouges étaient en nombre suffisant pour tenir tête à la fois à Marcus Reno et à George A. Custer. C'était ce qu'ils avaient fait tout d'abord, mais lorsqu'ils eurent mis hors de combat George A. Custer et ses hommes, ils se ruèrent sur Marcus Reno, qui dut soutenir un siège en règle, qui ne se termina que grâce à la providentielle arrivée des troupes d'Alfred H. Terry et de John Gibbon.

Le combat terminé, les Indiens jugèrent plus prudent de quitter les lieux et de marcher vers le nord, par étapes forcées, afin de gagner le Canada, où ils seraient à l'abri de toutes représailles.

Du détachement Custer, un seul homme en réchappa : Curly, le scout préféré du général. Ce dernier avant le combat l'invita à s'écarter, ne voulant pas le faire combattre contre les siens. Curly était de la tribu des Sioux.

Le major Reno fut par la suite traduit en conseil de guerre et sévèrement blâmé pour ne pas s'être porté au secours de son chef, ce qui d'ailleurs eut été un suicide. Marcus Reno demanda la révision du procès. Il fut réhabilité en... 1969.

Telle fut la bataille de Little Big Horn qui continue à susciter sur tout le territoire de l'Union de vives polémiques.

hommes du 7ème Cavalry s'étaient lancés en avant. Mais bientôt, l'élan fut brisé. Ils durent mettre pied à terre, tandis qu'une pluie de flèches s'abattait sur eux. Les militaires ripostèrent, mais les Sioux et les Cheyennes étaient armés de fusils à répétition du dernier modèle, fournis par des trafiquants sans scrupules. Les Peaux Rouges avancèrent par bonds successifs. Aux cris des Indiens, les chevaux s'affolèrent. Certains furent tués, d'autres blessés. D'autres encore furent abattus par leurs propres cavaliers pour se faire des remparts improvisés. Les soldats voyaient des Indiens devant eux et sur les côtés. Le chemin était libre derrière eux. George A. Custer dut donner, à un escadron au moins, l'ordre de rejoindre Marcus Reno ou Fred Benteen et de réclamer du secours. Mais les Peaux Rouges avaient pris position partout. Clouée sur place, la troupe dut se défendre avec l'énergie du désespoir.

Les Indiens s'approchant le plus près possible combattirent à l'arme blanche. Les chevaux effrayés s'enfuyaient et étaient aussitôt enfourchés par les Peaux Rouges. Le combat se poursuivit dans une poussière et une fumée de plus en plus dense. Les Indiens tiraient des milliers de flèches et faisaient usage des armes qu'ils trouvaient sur les morts.

Les militaires se regroupèrent sur une colline plus élevée, mais le feu des Indiens décima bientôt ce dernier rassemblement. George A. Custer tomba au milieu de ses officiers et de ses hommes. Sitting Bull avait suivi le combat d'assez

Sitting Bull, au Canada, entre une de ses squaws et son fils aîné.

Dessin exécuté par Sitting Bull (symbolisé à droite): vol de mustangs.

L'ULTIME ESPOIR DU CHEF JOSEPH

Les tribus des Indiens Nez-percés comptaient parmi les plus anciennes de tous les Etats-Unis. Elles vivaient principalement à la frontière des états de l'Idaho et de l'Oregon, sur les rives des Salmon and Snake rivers, une région particulièrement favorisée, avec un sol fertile et riche et des plaines giboyeuses. Ces Indiens, lorsqu'ils furent visités en 1805 par Leriwether Lewis et William Clark, connaissaient fort bien l'utilisation du cheval et élevaient une race particulière, les fameux Apaloosa. Etant donné leur caractère hospitalier, le père Spalding créa en 1836 une mission. Ses voisins l'accueillirent avec bienveillance et l'autorisèrent à évangéliser certaines de leurs tribus. Le vieux chef reçut le sacrement de baptême. Son fils Joseph, habile stratège, se distingua tout particulièrement en 1877, au cours de la guerre des Nez Percés.

En dépit des traités signés avec les Visages Pâles, en 1836 et en 1855, les Indiens se virent dépouillés et brimés par les Blancs qui voulaient s'approprier la Wallova valley où justement campait la tribu du chef Joseph, qui se déplaçait continuellement, à la poursuite de hardes de bisons.

A la suite d'une violente protestation, Washington se résigna à reconnaître la Wallova valley comme propriété des Nez-percés. Seulement, l'accord signé en 1873 fut renié, comme beaucoup d'autres deux années plus tard. On assigna aux Indiens de nouvelles terres, plus au nord. Le chef Joseph se plaignit personnellement au général O. O. Howard. Mais à son très grand regret, l'officier qui était très croyant et animé de sentiments humanitaires, ne put prendre lui même de décision. Il devait en référer au Congrès, l'autorité suprême, seul qualifié pour agir. Il avait reçu des ordres et il devait les exécuter, même contre ses convictions : il devait conduire les hommes de la tribu de chef Joseph jusqu'à la réserve qui leur était assignée.

Le chef Joseph voulant éviter le pire s'inclina mais les jeunes de son entourage protestèrent et refusèrent de le suivre.

Les ranchmen installés depuis peu dans la région, se mon-

(1) Le pays natal de la tribu des Nez-Percés du chef Joseph. (2) Lapwai, centre de la réserve organisée par les Américains. (3) Limites de la réserve. (4) Ville de Grangeville. (5) Bataille de Whitebird, 17 juin. (6) Bataille de Clearwater. 2 juillet. (7) Passage de Lolo Pass, malgré un détachement U.S. (8) Bataille de Big Hole, 9 août. (9) Route du major Gibbon. (10) Bataille de Camas Creek, 20 août. (11) Route de troupes américaines. (12) Les Nez-Percés trompent les Américains et passent quand même. (13) Tentatives de Sturgis pour arrêter les Nez-Percés. (14) Bataille de Canyon Creek, 13 septembre. (15) Les Crows passant aux Américains, harcèlent les Nez-Percés. (16) Pillage d'un dépôt de l'armée U.S. (17) Les troupes U.S. venant de fort Benton accrochent les Nez-Percés. Cow Island, 27 septembre. (18) Bataille de Bear Paw Montains. Les troupes U.S. reçoivent la reddition du chef Joseph le 5 octobre. (19) Quelques Nez-Percés parviennent quand même jusqu'au Canada.

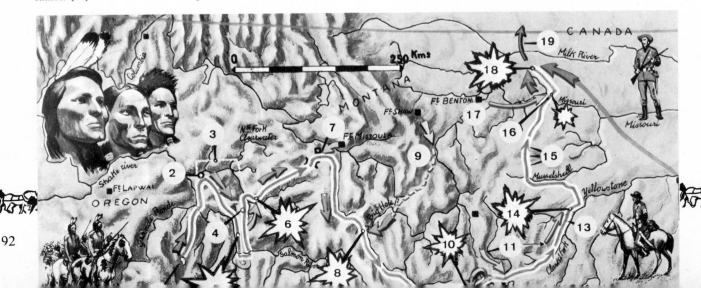

trèrent particulièrement agressifs. Pour eux comme pour la plupart des Blancs, les Indiens étaient des hommes sans importance et une quantité négligeable. Certains fermiers eurent recours à la manière forte pour se débarrasser de ceux qu'ils considéraient comme des intrus et ils descendaient avec leur Winchester les malheureux venus faire valoir leurs droits auprès d'eux. Les jeunes guerriers Nez-percés, devant l'attitude de plus en plus odieuse de certains Visages Pâles, ripostèrent avec force et massacrèrent plusieurs éleveurs hostiles.

Le breveted-colonel Perry reçut alors l'ordre d'entreprendre une expédition punitive. Il quitta fort Lapwaï dès les premières heures, le 17 juin 1877, emmenant avec lui l'effectif de deux compagnies. Alors que le convoi militaire s'approchait d'un camp indien, ses troupes furent brusquement attaquées sur chaque flanc, à Whitebird canyon. Ses soldats qui marchaient depuis trente six heures furent bousculés. Trente quatre furent tués et quatre blessés.

Une semaine plus tard, le général O. O. Howard quitta, à son tour, fort Lapwaï avec 300 hommes parmi lesquels un petit détachement d'artillerie. Le captain Stephen Giraud Whipple fut chargé avec ses deux compagnies du 1er de Cavalry d'aller explorer les abords du camp du chef Looking Glass, installé sur les berges de la Clearwater river.

Les Indiens de cette tribu n'avaient aucune intention belliqueuse, mais la venue des troupes américaines les incita à se joindre aux Hostiles.

Pendant ce temps, le chef Joseph et ses partisans réussissaient à contenir, par deux fois, le général O. O. Howard, l'empêchant de franchir la Salmon river.

Le 3 juillet, ce même chef indien anéantit, à Craig mountain, une patrouille de dix hommes commandée par le lieutenant Sevier Mc Cellan, avant même que le gros de l'armée américaine alerté ait eu le temps d'intervenir.

DEUX JOURS D'ESCARMOUCHES

Dès lors, les troupes américaines furent sans cesse surveillées par les patrouilles indiennes. Néanmoins, le 11 juillet le général O. O. Howard réussit à attaquer par surprise le camp indien installé sur les berges de la Clearwater river et il ouvrit le feu avec un canon howitzer et deux mitrailleuses Gatlin. Lors de cette rencontre le général était accompagné de cinq compagnies du 1er de Cavalry, de sept du 21ème d'Infantry et de quatre du 4ème d'Artillery. La plupart de ces hommes servaient comme fantassins et formaient un total de quatre cents réguliers, appuyés par cent quatre vingt volontaires. Profitant de l'effet de surprise, O. O. Howard réussit à s'approcher du village et à l'encercler. Le lendemain matin, alors qu'il allait déclencher l'attaque il constata que les Nez-percés avaient profité des ombres de la nuit pour abandonner le camp. Au cours des deux jours qui suivirent, de nombreuses escarmouches se produisirent. O. O. Howard perdit vingt-trois hommes et en eut quarante-six de blessés. Les Indiens, de leur côté, reconnurent avoir eu quatre morts et quarante-six blessés.

Looking Glass.

A cette époque, les Nez-percés établis dans la région étaient répartis en quatre clans totalisant six à sept cents personnes, parmi lesquelles seulement deux cents guerriers.

Le chef du clan Wallova était l'autorité la plus en vue, bien que les Indiens Nez-percés lui dénient toute autorité. Il n'était pas la figure dominante, comme le croyaient les généraux O. O. Howard et Nelson A. Miles. En réalité, sa tribu était sous les ordres de son frère Ollekut, tandis que les trois autres avaient chacune leur chef respectif. Chacun de ces leaders avait sa propre conception sur la façon de diriger la guerre. Ils y étaient tous entraînés, ayant sans cesse combattu pour protéger leurs familles et leurs biens.

Après la rencontre sur les rives de la Clearwater river, le général O. O. Howard pourchassa les Nez-percés en direction du gué de Kamiah, où quelques guerriers rouges continrent pendant un certain temps ses troupes, tandis que le gros des unités indiennes commençaient une retraite dans le défilé de la Lolo trail, au travers des Bitterroot mountains. Ce mou-

WHITEBIRD, 17 juin 1877. (1) Le Camp indien. **(2)** 90 soldats et 4 officiers sous les ordres des Captains Perry et Trimble, accompagnés de 11 volontaires civils et de 12 Indiens. **(3)** 6 parlementaires portant le drapeau blanc quittent le camp. **(4)** Les troupes U.S. tirent sur les parlementaires. **(5)** Les Américains, cavaliers montés, se disposent en ligne. **(6)** Cavaliers désarçonnés. **(7)** Volontaires. **(8)** Cavaliers Indiens attaquant. **(9)** Fuite des Volontaires. **(10)** Indiens passant à l'attaque. Panique chez les Américains. **(11)** En petits groupes ils sont massacrés.

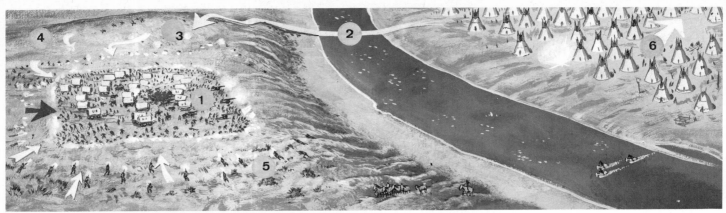

vement était assez ingénieux, car les Indiens pensaient qu'il n'y aurait aucun sujet de mésentente avec les troupes et les citoyens se trouvant à l'Est des montagnes, cette région étant contrôlée par le général Alfred H. Terry, qui entretenait avec eux de très bonnes relations.

A fort Missoula, le captain Charles C. Rawn, avec seulement trente hommes de la compagnie L du 7ème d'Infantry, appuyés par trois cents volontaires, se préparait à contrer la progression des Nez-percés en faisant construire une barricade à proximité de fort Fizzle. L'officier eut ensuite une rencontre pacifique avec les chefs indiens, qui lui promirent de progresser au travers de la Bitterroot valley, sans créer le moindre incident. Comme ces chefs s'étaient montrés loyaux durant les expéditions de chasse des années précédentes, les volontaires civils, qui les connaissaient, décidèrent de leur faire confiance. Ils enregistrèrent leur promesse et retournèrent à leurs travaux personnels. Les Indiens dépassèrent fort Fizzle et atteignirent Stevensville où ils achetèrent de la farine, du sucre, du café et du tabac dans plusieurs magasins de la petite bourgade. Ce fut là, certainement, un des côtés les plus imprévus des guerres indiennes.

Ils firent halte ensuite dans un vieux camp abandonné juste à l'est du Continental Divide (la ligne imaginaire qui sépare exactement en deux, le continent américain), sur les berges de la Big Hole river.

Le 9 août 1877, ils furent surpris par les troupes du général John Gibbon : deux cents hommes provenant de six compagnies du 7ème d'Infantry, de deux du 1er de Cavalry et de quelques volontaires. Les sentinelles Nez-percés furent surprises et mises hors d'état de donner l'alerte. Une partie du camp fut aussitôt investie et les troupes victorieuses se préparaient à y mettre le feu quand les Indiens se ressaisirent et ripostèrent, tirant sur les soldats installés dans des posi-

CLEARWATER, 11 juillet. (1) Troupes du Général Howard : 400 hommes et 3 canons. Une charge de cavalerie sera lancée sur le camp indien. **(2)** 20 guerriers Nez-Percés traversent vite et tirent sur les troupes américaines. **(3)** Emplacement de celles-ci. **(4)** Attaquant plusieurs fois, les Indiens manquent un train de wagons. **(5)** Les Indiens assiègent les Blancs qui forment aussitôt le carré et creusent des trous individuels. **(6)** Les familles Nez-Percés lèvent le camp. Les guerriers décrochent et les rejoignent, lorsqu'ils jugent tous leurs compagnons hors d'atteinte.

tions de défense minutieusement préparées et camouflées. Les Nez-percés capturèrent un Hovitzer qu'ils utilisèrent aussitôt contre leurs adversaires. Le lieutenant Bradley, qui le premier avait fait le recensement des morts à Little Big Horn, était parmi les trente-cinq morts. Quant au général John Gibbon il faisait partie des quarante hommes blessés. La cavalerie du général O. O. Howard, alertée, vint à la rescousse. Les Indiens, ayant perdu dans la rencontre plus de soixante-dix des leurs, des femmes et des enfants pour la plupart, décrochèrent alors prudemment.

L'IMPLACABLE POURSUITE

Howard était désormais sur les talons des fuyards, mais ceux-ci, au cours d'un raid nocturne réussirent à pénétrer dans son camp et à lui dérober ses mules de bât et à disperser certaines bêtes parquées dans le « corral ». Tandis que le général donnait des ordres pour engager la poursuite, les Nez-percés se dirigèrent, sans être le moins du monde inquiétés, vers la Yellowstone valley, où ils firent prisonnier un petit groupe de touristes, qui, ne portant pas d'armes, ne furent pas molestés. Par ailleurs, dans cette même Yellowstone valley, quelques Indiens effectuant des reconnaissances tuèrent deux autres touristes.

KAMIAS CREEK, 20 août. (1) Camp du Général O.O. Howard, commandant l'ensemble des opérations. **(2)** Pâturages des mulets appartenant à l'armée. Ils sont mis en fuite par un groupe de Nez-Percés qui s'est infiltré dans les lignes américaines et qui n'a pas été repéré. **(3)** Les Nez-Percés utilisant les méthodes de leurs adversaires se présentent à 4 de front. Vingt cavaliers s'approchent ainsi des sentinelles américaines qui, surprises, ne donnent pas l'alerte. Les Indiens chargent

à travers le camp. **(4)** Les chevaux des hommes du Général Howard s'affolent et ajoutent à la confusion. **(5)** Les assaillants réussissent à grouper les montures et les emmènent jusqu'à leur campement. **(6)** Les Américains se ressaisissent et tentent de riposter. Un détachement de cavaliers se lance à la poursuite des Nez-Percés mais abandonnent peu après sans avoir réussi à les rejoindre. Ils se replient alors sur leurs positions et restent sur le qui-vive.

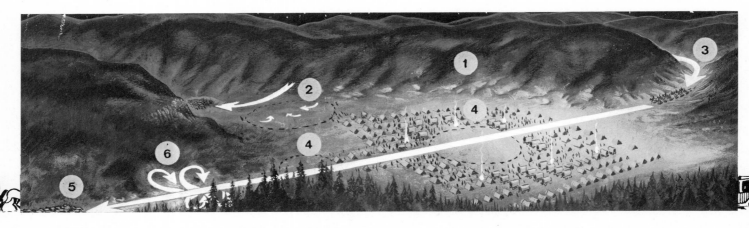

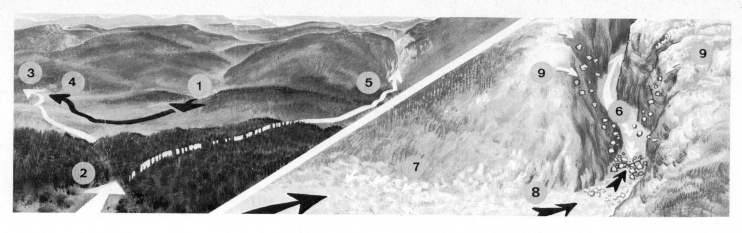

YELLOWSTONE VALLEY. (1) Position des troupes du Colonel Sturgis. 350 cavaliers barrent la piste que doivent emprunter les Indiens. (2) Prévenus, les Nez-Percés s'arrêtent dans la forêt. (3) Le chef Joseph chasse un troupeau de ses chevaux. (4) Tombant dans le piège qui leur est tendu, les troupes américaines poursuivent le troupeau. (5) Pendant ce temps, les Indiens s'engagent dans le défilé, franchissent la passe et progressent sans être inquiétés.

CANYON CREEK, 13 septembre. (6) Les membres de la tribu remontent le canyon. (7) Les guerriers ouvrent un feu nourri sur les troupes de Sturgis et les obligent à mettre pied à terre. Les leurs s'étant éloignés, les Nez-Percés décrochent. (8) Les Américains de nouveau en selle, comptent poursuivre la chasse mais ils finissent pas y renoncer. (9) En effet, les fuyards ne cessent d'accumuler des obstacles sur leurs talons et, très rapidement, s'évanouissent dans la nature.

Le breveted-major general, Samuel D. Sturgis, commandant le fameux 7ème de Cavalry, prit la piste à la tête de six compagnies de son régiment, qui avait été réorganisé durant l'hiver, après la défaite de Little Big Horn. Progressant par étapes successives, le breveted-major general finit par rejoindre les Nez-percés au défilé de Canyon creek, dans le territoire du Montana. Ses soldats, exténués par de longues marches forcées, ne se trouvaient guère en état de combattre avec succès. Le colonel Benteen tenta une opération pour couper la retraite aux Indiens, mais il échoua. Le 13 septembre, lorsque la nuit fut tombée, les Indiens s'évanouirent dans les ténèbres. Ils progressèrent en direction du nord et, dix jours plus tard, traversaient le Missouri à l'est de fort Renton, à Cow island, escale des bateaux naviguant sur le Missouri. Ils espéraient pouvoir gagner la frontière et passer au Canada où ils se joindraient aux partisans de Sitting Bull, groupés dans le camp Qu'Appelle, près de fort Walsh. Ce fut alors au tour du général Nelson A. Miles de continuer la poursuite. Prenant le relais à fort Keog — qui devait devenir Miles city —, il couvrit, en un temps record, en brûlant littéralement les étapes, plus de 150 miles, en direction du Missouri, ayant sous ses ordres six cents hommes, trois compagnies du 2ème de Cavalry, trois du 7ème et six du 5ème d'Infantry, ces derniers montés sur des poneys pris aux Indiens. Cette troupe conduite, par des éclaireurs cheyennes, était armée d'une mitrailleuse lourde Gatlin et d'un canon Napoléon de douze livres.

Quand Nelson A. Miles apprit que les Nez-percés avaient franchi la rivière deux jours plus tôt, il fit embarquer ses hommes et son matériel sur le steamer « Benton ».

LA DERNIERE RENCONTRE

Progressant vers le nord, il attaque les Indiens qu'il pourchassait dans les couloirs des Bear Paw mountains, au cours du 29 septembre. Dès que les Nez-percés furent repérés, la troupe fonça, voulant profiter du désarroi provoqué par leur brusque irruption. Avant que les Indiens ne se fussent ressaisis, leurs chevaux s'étaient dispersés dans un vaste stampède. Les Peaux Rouges, du fait de la prompte intervention des hommes du 2ème de Cavalry, étaient privés de leurs montures et par conséquent incapables de battre en retraite. Le général Nelson A. Miles résolut donc, de commencer le siège. Il fut rejoint, le 4 octobre, par le général O. O. Howard, qui n'avait pas du tout abandonné la poursuite.

Le lendemain, le 5 octobre, le chef Joseph réunit ses principaux chefs, en un conseil extraordinaire. White Bird et Looking Glass, qui y participaient, refusèrent de se soumettre et s'opposèrent vivement à une proposition se résumant en une reddition pure et simple.

Pointant l'index vers les femmes et les enfants transis de froid et brisés de fatigue, Joseph déclara « Si je me rends, ce n'est pas pour moi, c'est pour eux! » La majorité des votes approuva sa proposition.

Le pow-wow terminé, un coup de feu claqua et Looking Glass s'écroula sur le sol, une balle dans la nuque.

Chef Joseph enfourcha alors son cheval et, suivi de plusieurs Indiens à pied, il se dirigea vers le sommet de la montagne voisine. Les généraux Nelson A. Miles et O. O. Howard se trouvaient en contrebas. Le chef des Nez-percés fit un signe de la main et descendit lentement vers eux. Parvenu non loin du camp des Visages Pâles, il arrêta sa monture, descendit de selle et tendit son fusil au général Nelson A. Miles.

Solennel, très digne Chef Joseph fit un bref discours, qu'il termina par ces mots : « Partout où brille le soleil, je ne combattrai plus jamais! »

Chef Joseph et ses compagnons furent emmenés, par bateau, vers l'Est. La plupart d'entre eux furent parqués dans des réserves de l'Indian Territory. Chef Joseph, lui, fut emmené par la suite dans la réserve de Colville, dans l'état de Washington. Il ne cessa de demander d'être ramené dans sa terre, la Wallova valley, mais ses supplications demeurèrent vaines, Washington ne cessa de faire la sourde oreille. Le vieux chef toujours très digne mourut en exil, le cœur brisé en 1904.

La reddition de Chef Joseph, par le célèbre peintre Frédéric Remington.

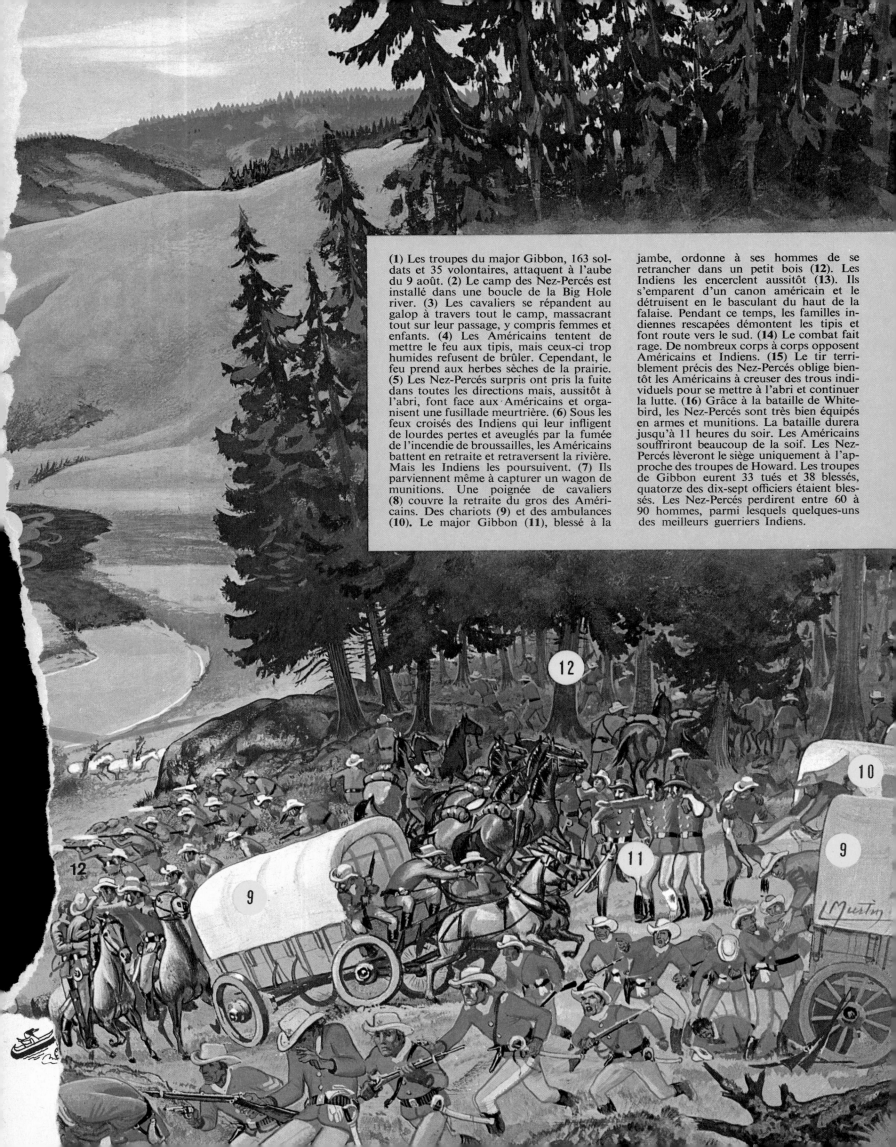

(1) Les troupes du major Gibbon, 163 soldats et 35 volontaires, attaquent à l'aube du 9 août. (2) Le camp des Nez-Percés est installé dans une boucle de la Big Hole river. (3) Les cavaliers se répandent au galop à travers tout le camp, massacrant tout sur leur passage, y compris femmes et enfants. (4) Les Américains tentent de mettre le feu aux tipis, mais ceux-ci trop humides refusent de brûler. Cependant, le feu prend aux herbes sèches de la prairie. (5) Les Nez-Percés surpris ont pris la fuite dans toutes les directions mais, aussitôt à l'abri, font face aux Américains et organisent une fusillade meurtrière. (6) Sous les feux croisés des Indiens qui leur infligent de lourdes pertes et aveuglés par la fumée de l'incendie de broussailles, les Américains battent en retraite et retraversent la rivière. Mais les Indiens les poursuivent. (7) Ils parviennent même à capturer un wagon de munitions. Une poignée de cavaliers (8) couvre la retraite du gros des Américains. Des chariots (9) et des ambulances (10). Le major Gibbon (11), blessé à la jambe, ordonne à ses hommes de se retrancher dans un petit bois (12). Les Indiens les encerclent aussitôt (13). Ils s'emparent d'un canon américain et le détruisent en le basculant du haut de la falaise. Pendant ce temps, les familles indiennes rescapées démontent les tipis et font route vers le sud. (14) Le combat fait rage. De nombreux corps à corps opposent Américains et Indiens. (15) Le tir terriblement précis des Nez-Percés oblige bientôt les Américains à creuser des trous individuels pour se mettre à l'abri et continuer la lutte. (16) Grâce à la bataille de Whitebird, les Nez-Percés sont très bien équipés en armes et munitions. La bataille durera jusqu'à 11 heures du soir. Les Américains souffriront beaucoup de la soif. Les Nez-Percés lèveront le siège uniquement à l'approche des troupes de Howard. Les troupes de Gibbon eurent 33 tués et 38 blessés, quatorze des dix-sept officiers étaient blessés. Les Nez-Percés perdirent entre 60 à 90 hommes, parmi lesquels quelques-uns des meilleurs guerriers Indiens.

BIG HOLE

Un important camp cheyenne dans le North Dakota, à proximité des berges du Yellowstone. Les chevaux se désaltèrent dans cette grande rivière.

LA LONGUE MARCHE DES CHEYENNES

En 1865, un traité fut signé entre le général William Selby Harney et le chef Sanborn. Il garantissait aux tribus sioux cheyennes et arapahoes, les territoires qu'elles occupaient tout au long de la Powder river. C'était une vaste lande qui s'étendait entre la Little Missouri river, et les Black hills, jusqu'aux contreforts des Rocheuses.

Cette zone était éloignée du chemin de fer, alors en construction. L'herbe y était propice à l'élevage des troupeaux.

Mais, les pistes pour le bétail vinrent contrarier les Indiens. Le passage, sans cesse répété, chassa des prairies les bisons, qui émigrèrent dans les vallées voisines. Les Peaux-Rouges protestèrent. Pour les contenir, des forts furent édifiés tout au long de la Chisholm-trail et Washington envoya des délégués pour annoncer l'annulation pure et simple du traité Harney-Sanborn. Ce fut la guerre. Elle dura jusqu'au printemps 1877, quand le chef Dull Knife et ses guerriers firent, les derniers, leur soumission. On leur signifia qu'ils devaient quitter les terres de leurs ancêtres et partir loin dans le sud, dans un vaste territoire qui leur était réservé. Lorsqu'ils seraient là-bas, le gouvernement prendrait soin d'eux et ils connaîtraient la paix et la prospérité.

A contre cœur, les malheureux Indiens durent se soumettre. Ils quittèrent les plaines et les collines septentrionales, pour des terres basses où sévissait la malaria. Dans une région aride, sans le moindre gibier, ils vécurent, mal ravitaillés, sous des tipis délabrés. Ils se plaignaient sans cesse à l'agent des affaires indiennes, John Miles, un homme juste au grand cœur, mais qui, hélas, ne pouvait rien pour eux. Sans cesse les chefs cheyennes, Little Wolf et Dull Knife, se firent les porte-parole de leurs compagnons, sans pouvoir obtenir satisfaction c'est-à-dire retourner sur les terres de leurs ancêtres.

Une nuit trois Indiens s'enfuirent. Lorsque le colonel Minzer, militaire jusqu'au bout, et commandant de fort Reno, l'apprit, il entra dans une violente colère. Il envoya un escadron de cavalerie pour retrouver les fugitifs et ramener Dull Knife pour le raisonner.

John Miles s'opposa à cette intervention. Le colonel Minzer lui rendit visite et reçut, dans le bureau de l'agent des affaires indiennes, une délégation composée de Dull Knife, Little Wolf et d'un troisième chef, Wild Pig. Le commandant de fort Reno exigea la livraison des évadés. Avec beaucoup de dignité, Little Wolf refusa. Il plaida la cause de sa tribu, demandant des soins et des subsistances. Il déclara qu'il était allé à Washington, qu'il avait serré la main du « Grand Père » c'est-à-dire du Président des États-Unis. Il avait eu confiance en ses paroles, mais les promesses faites aux Indiens n'avaient pas été tenues par l'armée américaine.

Cette jeune squaw cheyenne et son enfant posent pour le photographe.

Le chef cheyenne Whirl Wind.

Little Robe, un meneur d'hommes.

Powder Face, intrépide guerrier.

N° 16

Comme John Miles laissait partir les trois Cheyennes, le colonel, furieux, exigea qu'ils fussent arrêtés. L'agent des affaires indiennes refusa. Alors, Minzer envisagea une expédition contre le village indien. John Miles, considérant que cela pouvait tourner au massacre, décida d'accompagner l'officier.

Le lendemain, le village cheyenne était atteint. Une partie des tipis avaient été démontés. Le lieu était désert, ses habitants s'étaient évanouis, partis on ne savait où.

Des traces relevées sur le sol indiquaient qu'ils se dirigeaient vers le nord. Les cavaliers se lancèrent à leur poursuite, sous un soleil de plomb.

Non loin de la frontière du Kansas, le détachement fit halte, exténué. Il se remit en route un peu plus tard pour s'arrêter au crépuscule. Tandis que quelques chevaux étaient emmenés à l'abreuvoir, plusieurs cavaliers indiens apparurent sur une crète voisine, avec à leur tête Little Wolf, désireux de parlementer. Le colonel Minzer lui répondit par un ultimatum qui fut refusé. Tandis que le chef indien, très digne, s'éloignait, le clairon sonna le rassemblement puis la charge.

Au même moment, quatre-vingt cavaliers rouges, des hommes âgés et des adolescents encadrant les guerriers, dévalèrent du haut des collines voisines, fonçant sur les militaires dans une charge folle. Alors que les soldats se préparaient à recevoir le choc, les Cheyennes se divisèrent en deux colonnes, frôlant les flancs de leurs ennemis.

LES CHEYENNES S'ECHAPPENT

De retour à fort Reno, le colonel Minzer rédigea un rapport détaillé pour Washington. On lui répondit en lui annonçant la venue en renfort, d'un détachement d'infanterie de Dodge city.

Tandis que dans l'Est, les politiciens discutaient et que les journaux commentaient à leur façon, les événements les Cheyennes réussissaient à échapper à leurs poursuivants. Ils progressèrent à travers le Kansas et furent bientôt signalés non loin de fort Wallace. Par train spécial, mille fantassins furent envoyés d'urgence pour les intercepter lorsqu'ils traverseraient la voie ferrée, à l'est ou à l'ouest de ce poste.

Une compagnie d'infanterie surveillait la ligne, à l'ouest de Dodge city, tandis que deux compagnies de cavalerie talonnaient les arrière-gardes cheyennes. Elles furent bientôt rejointes par un petit détachement parti de fort Sidney.

Les habitants de Dodge city redoutant une attaque des Indiens, une troupe prit la piste vers le sud en direction de Whittman, alors qu'elle aurait dû foncer vers Rider et Medecine Lodge, au sud-est.

Une nuit, au moment où les Blancs s'y attendaient le moins, les Cheyennes surgirent devant eux, poussant des cris afin de semer le désarroi et la panique parmi les chevaux parqués non loin de là. Après quoi, ils disparurent dans les ombres de la nuit, aussi mystérieusement qu'ils étaient apparus.

Pendant ce temps, Dodge city vivait dans l'angoisse. Bat Masterson, le célèbre shériff, invita ses compagnons à s'engager et à former une milice qui seconderait les militaires.

Peu après, un cavalier, envoyé en reconnaissance, était de retour, déclarant avoir vu les Cheyennes non loin de la ville. Déchaînés les miliciens foncèrent en avant assurant qu'ils allaient anéantir les sauvages. En vain, Bat Masterson essaya-t-il de les retenir. Les volontaires galopaient dans la plaine lorsque soudain, les guerriers rouges se démasquèrent, tirant une seule rafale, qui jeta la panique parmi les hommes de la milice. Ce fut un désordre indescriptible. Avec plus ou moins d'ardeur, les volontaires essayèrent de dominer leurs chevaux affolés. Peu d'entre eux tenaient vraiment à engager le combat. Prudemment ils battirent en retraite, laissant plusieurs morts sur le terrain. Avec une admirable ténacité, les Cheyennes poursuivirent leur longue marche, en bordure de l'Arkansas river. Toute l'immense plaine du Kansas était en alerte. Les fermiers se barricadaient dans leurs ranches isolés redoutant une attaque indienne.

Les troupes qui avaient commencé la poursuite à Medecine Lodge finirent par retrouver les fuyards à Osage creek. Les militaires progressèrent vers la rivière, envoyant les voitures en avant garde. Les Indiens les attendaient. Ils avaient creusé des tranchées, tandis que les femmes et les enfants étaient à l'abri derrière un repli de terrain. Les militaires étaient persuadés de surprendre leurs ennemis, car ils voyaient Little Wolf fumant tranquillement sa pipe comme s'il ne

99

s'était pas aperçu de leur présence. Soudain, une fusillade crépita. Les Cheyennes venaient de tirer dans un ensemble parfait, faisant de nombreux morts et blessés.

Non loin de là, des volontaires de la milice à cheval exécutaient un mouvement tournant pour prendre les Cheyennes à revers. Mais les Indiens continuaient à déclencher leur tir menaçant. Un des fourgons, celui qui transportait les munitions fut renversé en aval de la rivière. Les Cheyennes s'y précipitèrent et se ravitaillèrent en cartouches.

Le combat dura jusqu'à midi. Il y eut alors une brève accalmie. Les Cheyennes campaient au sommet d'une colline. Dans l'après-midi, leurs adversaires tentèrent un nouvel assaut qui échoua. Dans la soirée, vers minuit, les Indiens décrochèrent et reprirent leur calvaire. Les militaires les suivirent, mais bientôt, ils s'arrêtèrent, découragés et las.

Le général Crook reçut alors l'ordre de diriger les opérations contre les Cheyennes, qu'il avait déjà combattus au Wyoming, sur les berges de la Powder river et dans les Black Hills. Il disposait de 12.000 hommes.

Cinq unités du 3e de Cavalry, en garnison à fort Robinson, entrèrent en action. Il en fut de même pour le 7e de Cavalry, qui se trouvait à fort Read, dans le Dakota, et pour le 19e d'Infantry. Cette dernière unité quitta fort Wallace,

Dans la réserve indienne, les chefs Dull Knife (1) et Little Wolf (2) rendent visite à l'agent des Affaires Indiennes John Miles (3). Ils lui font part de la très grande misère qui sévit dans la réserve et de l'intention de leurs compagnons de retourner dans la terre de leurs ancêtres, dans le Wyoming.

Les Cheyennes ont quitté la réserve, mais ils sont rejoints à Medecine-lodge river, où ils ont creusé des tranchées (4). Les militaires attaquent mais ils sont repoussés avec des pertes sensibles. Non loin de Dodge city, tandis que la tribu, femmes et enfants (5) s'éloigne rapidement, quatre-vingt-dix guerriers (6) mettent en déroute les cent miliciens (7) venus de la ville pour les combattre. A Osage creek, les fuyards (8) parviennent à s'échapper au cours du combat. Une attaque lancée par les miliciens de Dodge city (9) est durement repoussée. Les pertes sont assez sérieuses. Un détachement de cavalerie (10) intervient avec énergie pour protéger les cavaliers volontaires. Une nouvelle attaque est déclenchée. Elle est menée sous la protection de nombreux chariots (11) qui s'engagent dans le cours de la rivière. Cette tentative échoue. Un des wagons couverts transportant des caisses de cartouches, de munitions et de poudre se renverse et aussitôt les Cheyennes s'en emparent bien décidés à profiter de l'aubaine. (12) Les Indiens épuisés, sans vivres, découvrent par le plus grand des hasards dix huit bisons qui viennent d'être abattus par un groupe de chasseurs. Grâce à l'intervention de Little Wolf, des Visages Pâles (13) que les Cheyennes se préparaient à mettre à mort, ont la vie sauve. Ces chasseurs sont alors remis en liberté. Des trains chargés de troupes. (14) circulent entre Sidney et Mc Pherson. Ces renforts doivent intercepter les Cheyennes, qui parviennent à se glisser près d'Oglalla, entre les postes de guet (15) sans être vus par les sentinelles.

Le chef cheyenne Whirl Wind.　　　Little Robe, un meneur d'hommes.　　　Powder Face, intrépide guerrier.

Comme John Miles laissait partir les trois Cheyennes, le colonel, furieux, exigea qu'ils fussent arrêtés. L'agent des affaires indiennes refusa. Alors, Minzer envisagea une expédition contre le village indien. John Miles, considérant que cela pouvait tourner au massacre, décida d'accompagner l'officier.

Le lendemain, le village cheyenne était atteint. Une partie des tipis avaient été démontés. Le lieu était désert, ses habitants s'étaient évanouis, partis on ne savait où.

Des traces relevées sur le sol indiquaient qu'ils se dirigeaient vers le nord. Les cavaliers se lancèrent à leur poursuite, sous un soleil de plomb.

Non loin de la frontière du Kansas, le détachement fit halte, exténué. Il se remit en route un peu plus tard pour s'arrêter au crépuscule. Tandis que quelques chevaux étaient emmenés à l'abreuvoir, plusieurs cavaliers indiens apparurent sur une crête voisine, avec à leur tête Little Wolf, désireux de parlementer. Le colonel Minzer lui répondit par un ultimatum qui fut refusé. Tandis que le chef indien, très digne, s'éloignait, le clairon sonna le rassemblement puis la charge.

Au même moment, quatre-vingt cavaliers rouges, des hommes âgés et des adolescents encadrant les guerriers, dévalèrent du haut des collines voisines, fonçant sur les militaires dans une charge folle. Alors que les soldats se préparaient à recevoir le choc, les Cheyennes se divisèrent en deux colonnes, frôlant les flancs de leurs ennemis.

LES CHEYENNES S'ECHAPPENT

De retour à fort Reno, le colonel Minzer rédigea un rapport détaillé pour Washington. On lui répondit en lui annonçant la venue en renfort, d'un détachement d'infanterie de Dodge city.

Tandis que dans l'Est, les politiciens discutaient et que les journaux commentaient à leur façon les événements les Cheyennes réussissaient à échapper à leurs poursuivants. Ils progressèrent à travers le Kansas et furent bientôt signalés non loin de fort Wallace. Par train spécial, mille fantassins furent envoyés d'urgence pour les intercepter lorsqu'ils traverseraient la voie ferrée, à l'est ou à l'ouest de ce poste.

Une compagnie d'infanterie surveillait la ligne, à l'ouest de Dodge city, tandis que deux compagnies de cavalerie talonnaient les arrière-gardes cheyennes. Elles furent bientôt rejointes par un petit détachement parti de fort Sidney.

Les habitants de Dodge city redoutant une attaque des Indiens, une troupe prit la piste vers le sud en direction de Whittman, alors qu'elle aurait dû foncer vers Rider et Medecine Lodge, au sud-est.

Une nuit, au moment où les Blancs s'y attendaient le moins, les Cheyennes surgirent devant eux, poussant des cris afin de semer le désarroi et la panique parmi les chevaux parqués non loin de là. Après quoi, ils disparurent dans les ombres de la nuit, aussi mystérieusement qu'ils étaient apparus.

Pendant ce temps, Dodge city vivait dans l'angoisse. Bat Masterson, le célèbre shériff, invita ses compagnons à s'engager et à former une milice qui seconderait les militaires.

Peu après, un cavalier, envoyé en reconnaissance, était de retour, déclarant avoir vu les Cheyennes non loin de la ville. Déchaînés les miliciens foncèrent en avant assurant qu'ils allaient anéantir les sauvages. En vain, Bat Masterson essaya-t-il de les retenir. Les volontaires galopaient dans la plaine lorsque soudain, les guerriers rouges se démasquèrent, tirant une seule rafale, qui jeta la panique parmi les hommes de la milice. Ce fut un désordre indescriptible. Avec plus ou moins d'ardeur, les volontaires essayèrent de dominer leurs chevaux affolés. Peu d'entre eux tenaient vraiment à engager le combat. Prudemment ils battirent en retraite, laissant plusieurs morts sur le terrain. Avec une admirable ténacité, les Cheyennes poursuivirent leur longue marche, en bordure de l'Arkansas river. Toute l'immense plaine du Kansas était en alerte. Les fermiers se barricadaient dans leurs ranches isolés redoutant une attaque indienne.

Les troupes qui avaient commencé la poursuite à Medecine Lodge finirent par retrouver les fuyards à Osage creek. Les militaires progressèrent vers la rivière, envoyant les voitures en avant garde. Les Indiens les attendaient. Ils avaient creusé des tranchées, tandis que les femmes et les enfants étaient à l'abri derrière un repli de terrain. Les militaires étaient persuadés de surprendre leurs ennemis, car ils voyaient Little Wolf fumant tranquillement sa pipe comme s'il ne

Dans la réserve indienne, les chefs Dull Knife (1) et Little Wolf (2) rendent visite à l'agent des Affaires Indiennes John Miles (3). Ils lui font part de la très grande misère qui sévit dans la réserve et de l'intention de leurs compagnons de retourner dans la terre de leurs ancêtres, dans le Wyoming.

s'était pas aperçu de leur présence. Soudain, une fusillade crépita. Les Cheyennes venaient de tirer dans un ensemble parfait, faisant de nombreux morts et blessés.

Non loin de là, des volontaires de la milice à cheval exécutaient un mouvement tournant pour prendre les Cheyennes à revers. Mais les Indiens continuaient à déclencher leur tir menaçant. Un des fourgons, celui qui transportait les munitions fut renversé en aval de la rivière. Les Cheyennes s'y précipitèrent et se ravitaillèrent en cartouches.

Le combat dura jusqu'à midi. Il y eut alors une brève accalmie. Les Cheyennes campaient au sommet d'une colline. Dans l'après-midi, leurs adversaires tentèrent un nouvel assaut qui échoua. Dans la soirée, vers minuit, les Indiens décrochèrent et reprirent leur calvaire. Les militaires les suivirent, mais bientôt, ils s'arrêtèrent, découragés et las.

Le général Crook reçut alors l'ordre de diriger les opérations contre les Cheyennes, qu'il avait déjà combattus au Wyoming, sur les berges de la Powder river et dans les Black Hills. Il disposait de 12.000 hommes.

Cinq unités du 3e de Cavalry, en garnison à fort Robinson, entrèrent en action. Il en fut de même pour le 7e de Cavalry, qui se trouvait à fort Read, dans le Dakota, et pour le 19e d'Infantry. Cette dernière unité quitta fort Wallace,

Les Cheyennes ont quitté la réserve, mais ils sont rejoints à Medecine-lodge river, où ils ont creusé des tranchées (4). Les militaires attaquent mais ils sont repoussés avec des pertes sensibles. Non loin de Dodge city, tandis que la tribu, femmes et enfants (5) s'éloigne rapidement, quatre-vingt-dix guerriers (6) mettent en déroute les cent miliciens (7) venus de la ville pour les combattre. A Osage creek, les fuyards (8) parviennent à s'échapper au cours du combat. Une attaque lancée par les miliciens de Dodge city (9) est durement repoussée. Les pertes sont assez sérieuses. Un détachement de cavalerie (10) intervient avec énergie pour protéger les cavaliers volontaires. Une nouvelle attaque est déclenchée. Elle est menée sous la protection de nombreux chariots (11) qui s'engagent dans le cours de la rivière. Cette tentative échoue. Un des wagons couverts transportant des caisses de cartouches, de munitions et de poudre se renverse et aussitôt les Cheyennes s'en emparent bien décidés à profiter de l'aubaine. (12) Les Indiens épuisés, sans vivres, découvrent par le plus grand des hasards dix huit bisons qui viennent d'être abattus par un groupe de chasseurs. Grâce à l'intervention de Little Wolf, des Visages Pâles (13) que les Cheyennes se préparaient à mettre à mort, ont la vie sauve. Ces chasseurs sont alors remis en liberté. Des trains chargés de troupes. (14) circulent entre Sidney et Mc Pherson. Ces renforts doivent intercepter les Cheyennes, qui parviennent à se glisser près d'Oglalla, entre les postes de guet (15) sans être vus par les sentinelles.

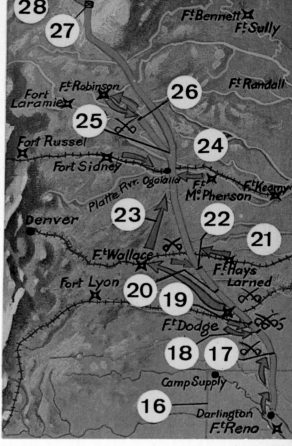

sous les ordres de son chef, le colonel Lewis, qui soupçonnait les Cheyennes de se trouver à 60 miles seulement.
Ses éclaireurs pawnies de retour d'une patrouille, lui signa-
lèrent avoir vu des Indiens à proximité de Famished Wo-
man's fork. L'officier ne voulut les croire. Rejoignant ses
avant-gardes, il vit brusquement surgir, devant lui, vingt
Cheyennes, sur leurs poneys, se détachant aux lueurs du
soleil couchant. Les scouts pawnies hurlèrent, en brandissant
leurs fusils. Les Cheyennes ne bronchèrent pas. Les éclaireurs
se mirent alors à décrire des cercles au galop, tandis que
l'infanterie se déployait en tirailleurs, sur une double ligne.
Les Cheyennes demeuraient semblables à des statues de
pierre. Alors, les pawnies foncèrent sur eux. Trois d'entre
eux furent abattus. Un quatrième s'en fut s'embrocher sur
une lance. Devant cet insuccès, les autres scouts prirent la
fuite.
Les vingt guerriers cheyennes se replièrent sur leur camp,
descendirent de cheval et se joignirent aux hommes en place
dans des tranchées. Le colonel Lewis vit alors, Little Wolf
qui, tranquillement, fumait sa pipe assis, bien en vue sur
un monticule. Les Cheyennes tirèrent dans un ensemble
parfait, au commandement de leur chef. Des militaires
tombèrent. Les autres continuaient à progresser, tout en
visant Little Wolf, sans toutefois l'atteindre. Ils durent
rebrousser chemin, en laissant sur le terrain le colonel
Lewis blessé à la tête. Un homme se précipita au secours de
son chef alors que les Cheyennes arrêtaient leur tir. Little
Wolf, le visage grave, suivit cette scène très ému.
Dans la soirée, le 19e d'Infantry se regroupa autour de son
chef. Les Cheyennes décrochèrent au milieu de la nuit et
disparurent mystérieusement.
Un détachement parti de fort Wallace, et qui avait déjà
parcouru 560 miles, s'arrêta un matin chez un éleveur qui
leur signala que douze bêtes lui avaient été volées au cours
de la nuit. Les auteurs de ce larcin ne pouvaient être que
des Indiens. Les cavaliers exténués, demeurèrent en selle toute
la journée. Ce ne fut qu'au crépuscule qu'ils aperçurent, à
l'horizon, ceux qu'ils recherchaient. Mais les chevaux
étaient fatigués. Ils ne purent forcer l'allure. Ils rattrapèrent
cependant l'arrière-garde des fuyards, vers minuit et un
combat au sabre s'engagea. Tandis que les guerriers rouges
contenaient leurs adversaires, le village indien décrochait.

Réserve Indienne (16); Combat
de Medecine-lodge river (17);
Les Cheyennes aux prises avec
la cavalerie de fort Dodge (18);
avec la milice de Dodge city
(19); Combat de Osage creek
(20); Douze milles hommes
en alerte, entre fort Wallace et
fort Hays (21); Le colonel
Lewis est tué (22); Série de
combats d'arrière garde (23);
Tentative d'arrêt des fuyards
entre Sidney et Mc Pherson
(24); Les Cheyennes se divisent
(25);Capture du premier groupe (26); Hivernage du second
groupe (27); Sa Reddition au
Dakota (28).

Les canons, amenés de fort Robinson, tirent sur le campement
retranché du premier groupe cheyenne (29); Devant leurs pertes,
les fuyards capitulent. En plein hiver, durant la nuit, les captifs
parviennent à s'évader de leur prison (30). Les soldats déclenchent
le tir. Quelques rares survivants échapperont au massacre. Au printemps suivant, dans les Black hills, le second groupe se rend au
lieutenant Clark (31).

C'est le début de leur douloureux exode. Les chevaux trainent, sur les travois, leurs misérables bagages. Dans le médaillon, un leader: Little Wolf.

En dépit de ses insuccès, le général Crook ne désespérait pas de venir à bout d'adversaires aussi coriaces.

Ses troupes convergèrent vers le sud : de Sidney, de North Platte et de Kearney, trois colonnes encerclèrent les Cheyennes. Deux compagnies de cavalerie, remontant vers le nord, obligeraient les Cheyennes à pénétrer dans cette poche que deux compagnies de cavalerie, massées à Oglalla, fermeraient en formant barrage entre Sidney et North Plate. Le major Thornburg, installé à Sidney, ne doutait pas du résultat. Il télégraphia au général Crook : « Les Cheyennes tenteront de franchir la Platte river non loin d'ici, dans la journée de demain! »

Les Cheyennes, en effet, franchirent la Platte river mais nullement où on les attendait. Ce fut à deux miles à peine d'Oglalla, au point mort, au centre même du piège. Déployés sur une mince et longue ligne, par groupes de deux ou trois, caressant leurs chevaux pour les apaiser, ils passèrent tout près des guetteurs. A un mile de là, ils enfourchèrent leurs montures et foncèrent au galop vers le nord.

Le général Crook, en apprenant qu'il avait été joué, entra dans une violente colère et ordonna de continuer la poursuite. Les soldats exténués n'en pouvaient plus. Ils remontèrent en selle et se remirent en route. Bientôt l'eau dut être rationnée. Au prix de difficultés sans nombre les militaires franchirent les 150 miles qui les séparaient de fort Robinson. Ils rencontrèrent un trappeur canadien français qui leur signala avoir rencontré un groupe de cent vingt Cheyennes épuisés par un très long voyage. Deux scouts sioux, de fort Meade, assurèrent, à leur tour, avoir croisé cent Cheyennes à bout de force.

A fort Robinson, le télégraphe n'apporta aucune nouvelle de Little Wolf et de ses hommes apparemment évanouis dans les dunes.

Un jour, une patrouille, partie de fort Robinson, sous les ordres du captain Johnson, découvrit, au soleil couchant, une troupe de fantômes, cent cinquante guerriers, femmes et enfants, qui semblaient d'un autre monde. Les hommes, très dignes, firent face aux cavaliers. Il n'y eut pas d'engagement. Le captain Johnson était un homme sensible et bon. Il apporta, lui-même, deux caisses de biscuits et des bidons d'eau, qu'il déposa à quelques distances des guerriers rouges. Ainsi, les Cheyennes purent-ils tromper leur faim mais pour ajouter à leur martyre, la neige se mit à tomber.

Le lendemain, du renfort rejoignit le captain Johnson. Il s'agissait du captain Wessell, commandant de fort Robinson, et ayant avec lui deux pièces d'artillerie. C'était un homme égoïste, orgueilleux, borné, méprisant les Indiens. Sans hésiter il fit mettre en batterie les canons et deux obus furent tirés, tuant des femmes et des enfants dans le camp indien. Alors Dull Knife, le visage en larmes, s'avança et fit sa reddition. On apprit alors que la colonne des Cheyennes s'était séparée en deux et que l'autre troupe, conduite par Little Wolf, s'efforçait de remonter plus vers le nord. Les Indiens furent désarmés. Après leur avoir donné à manger, on les fit monter dans les fourgons qui les emmenèrent à fort Robinson, où ils furent enfermés dans une vieille barraque désaffectée, sans le moindre confort et sans chauffage en dépit de la température hivernale.

Ayant fait son rapport, le captain Wessell reçut l'ordre de ramener les Cheyennes dans le sud, dans le territoire indien. Il fit mander Dull Knife, qui se présenta à lui, avec deux de ses compagnons. Tous trois étaient vêtus de haillons. Seul le chef avait des mocassins, les deux autres étaient pieds nus. Les Cheyennes refusèrent de se soumettre à l'ordre. Les trois hommes furent renvoyés dans leur barraque, après avoir appris qu'ils seraient privés d'eau et de nourriture tant qu'ils persisteraient dans leur refus.

Deux jours passèrent. L'endroit où étaient parqués les malheureux commençait à sentir le charnier. En dépit de leur martyre les Cheyennes tenaient tête au colonel Wessell. Pour se désaltérer ils raclaient la neige, sur le rebord des

Dull Knife,
le second révolté.

fenêtres. Alors, un soir, celui du 9 janvier 1879, vers 10 heures, la révolte éclata. Les lourds volets des fenêtres furent rabattus et les Indiens bondirent au dehors. Les dix premiers étaient armés de Winchester; les suivants de couteaux ou de barres de fer.

Des coups de feu crépitèrent. Des blessés et des morts jonchèrent le sol. Les révoltés traversèrent la cour d'exercices, les femmes portant les enfants et soutenant les vieillards, ils s'efforcèrent de gagner l'autre côté de la rivière.

Les soldats tiraient sur ces malheureux, sur les gosses et sur les vieillards. Ceux qui réussirent à atteindre le cours d'eau, brisèrent la glace et se désaltérèrent avidement quand, ils parvinrent sur l'autre rive, ils mitraillèrent la garnison du fort.

Le captain Wessell, un sabre d'une main, un colt de l'autre, courut vers la rivière, en poussant des cris insensés. Partout le sol neigeux était recouvert de cadavres cheyennes. Quand le massacre fut terminé, il ne restait que quelques rescapés, épuisés, à bout de force, qui furent ramenés dans la barraque. Les hommes blessés étaient silencieux, les femmes pleuraient, les enfants gémissaient. Le médecin de la garnison chargé de les soigner, était ivre de whisky. Quand on compta les survivants, ils n'étaient que soixante et un. Parmi les soldats, il n'y avait qu'un mort.

LA DERNIERE POURSUITE

Le lendemain, le captain Wessell à la tête d'un petit détachement se mit à la recherche de ceux qui avaient pu s'échapper. Les cadavres jonchaient la piste. Un indien s'était traîné sur plusieurs miles, avec douze balles dans le corps. Près de lui, se trouvaient deux squaws raidies par le froid.

Une vingtaine de survivants furent signalés près de Bluff station, non loin des Black hills. Les hommes de la patrouille en progressant virent briller un feu dans la nuit. L'endroit fut atteint seulement le lendemain matin. Le camp était abandonné. Peu après, dans une bauge à bisons, on découvrit une vingtaine de Cheyennes, dans un état lamentable. Ils n'avaient plus l'apparence d'êtres humains. C'étaient déjà les fantômes d'un autre monde.

Le captain Wessell, exténué de fatigue, à bout de forces, décida d'attendre pour agir. Il fit placer des sentinelles à proximité du groupe des Indiens et se coucha pour prendre un peu de repos. Il était prêt, toutefois, à intervenir, à la moindre alerte. Mais si rien d'anormal ne se produisait, il ne déclencherait les opérations qu'à son réveil.

Celui-ci eut lieu le lendemain matin, un peu avant l'aube. Dans la grisaille du ciel, on apercevait les silhouettes des factionnaires et les hommes recroquevillés sur eux-mêmes, transis de froid, encore endormis.

Peu après, le clairon sonna le réveil.

Là-bas, dans la bauge aux bisons, c'était le silence. Qu'étaient devenus ces malheureux? Peut-être étaient-ils partis au Pays des Chasses Eternelles?

Suivi de son éclaireur sioux, le captain Wessell, s'avança, après avoir donné l'ordre à ses hommes d'exécuter un mouvement en tenailles, pour encercler les Peaux Rouges. Soudain, devant lui une silhouette se dressa, une véritable apparition d'outre tombe. L'homme, un spectre osseux, à demi-nu, fixait l'officier d'un regard désabusé et las.

Un coup de feu claqua. Une balle laboura le sol aux pieds de l'officier qui, aussitôt, battit en retraite. Alors, les soldats ouvrirent le feu. Soudain, le captain tituba en portant la main à son front. Il la retira tout ensanglantée. Il s'écroula sur le sol. Deux hommes se précipitèrent, le relevèrent et le portèrent jusqu'à son cheval.

Le lieutenant Baxter prit le commandement et la rencontre

Fort Sill contrôlait une région proche de la réserve des Cheyennes.

Juin 1869 : Curly Head, Fat Bear et Dull Knife, à Camp Supply.

Ces femmes cheyennes exécutent bijoux et broderies avec des perles.

Fort Robinson, au nord-ouest du Nebraska, théâtre d'une atroce tragédie.

Une réunion des principaux chefs cheyennes et arapahoes en 1889.

Groupe de squaws et enfants cheyennes, à Camp Supply, en 1870.

Ces deux documents, de Frédéric Remington, peintre spécialiste de la vie des soldats américains montrent l'armée poursuivant des Indiens.

se poursuivit jusqu'au milieu de l'après-midi. Puis les détonations se firent plus rares et la fusillade, brusquement, s'arrêta.

Le clairon sonna le « Cessez le Feu ». Un impressionnant silence se répandit sur toute la plaine.

Soutenu par deux militaires, le captain Wessell se dirigea lentement vers la bauge aux bisons.

Il s'arrêta au bord du trou. Au fond de celui-ci, gisaient, pêle-mêle, vingt-deux cadavres d'hommes et de femmes. De nombreux vautours tournoyaient dans le ciel teinté de rouge par un soleil couchant qui, lentement, déclinait à l'horizon.

L'affaire des Cheyennes, dès qu'elle fut connue dans l'Est, fut longuement commentée dans les bars, les clubs et surtout les salles de rédaction. Elle fut jugée différemment selon les tendances de chacun. Mais tout le monde était unanime. Une fois encore, on avait traité les Indiens sans le moindre respect des lois élémentaires de l'Humanité. Les adversaires du gouvernement s'en donnèrent à cœur joie et ne ménagèrent pas celui-ci. Le *New-York Herald*, du 18 janvier 1879, définit l'attitude de Carl Schutz, Ministre de l'Intérieur, d'une simple phrase : « Le Ministre Schutz a refusé de répondre sur la question! ».

Les reporters ne cessèrent de harceler le Ministre qui se dérobait tant bien que mal. Lorsqu'ils arrivaient à le rencontrer, inlassablement, ils lui demandaient :

— Quoi de neuf à Fort Robinson?

Il répondait, en haussant les épaules :

— Je n'ai rien à dire!

Un reporter, Jackson, qui avait interviewé, quelques jours plus tôt, le général Técumseh Shermann sur la même affaire, fut plus heureux que ses confrères. Carl Schutz accepta de le recevoir. Jackson sut convaincre le politicien de l'effet déplorable que la nouvelle avait produit sur ses lecteurs, c'est-à-dire sur le public, sur les électeurs. Jackson sut se montrer éloquent.

Il restait encore cent cinquante malheureux Cheyennes vivants; libres, ils erraient quelque part dans la région des Black hills. Ces hommes, il fallait les sauver au nom de l'Humanité. Il fallait réparer autant que possible tout le mal qui avait été fait. Ne pas perpétuer cette attitude indigne d'un peuple civilisé.

Lorsque le journaliste fut parti, le Ministre réfléchit. Cela dura plus d'une heure, puis décidé, Carl Schutz, prit sa plume et traça plusieurs lignes sur une feuille de papier à en-tête.

C'était une note à l'adresse du général George Crook, lui donnant l'ordre d'interrompre immédiatement toutes poursuites contre les Cheyennes et de les laisser, au contraire, regagner leurs terres dans les Black hills où ils pourraient désormais vivre en paix.

Pendant ce temps, les autres Cheyennes, ceux qui avaient suivi Little Wolf, erraient quelque part dans le nord. Une troupe, un moment, les avait suivis mais avait fini par perdre le contact, non loin des Black hills.

Les rescapés se répandirent dans les vallées boisées où ils se remirent de leurs souffrances. Des enfants naquirent. Little Wolf, avec crainte, vit arriver les beaux jours. L'enfer pour eux, allait recommencer.

Un jour, il se trouva en face d'un scout de l'armée. Celui-ci le conduisit à son chef, le lieutenant B.W. Clark qui lui annonça que Washington accédait enfin au désir des Cheyennes et les autorisaient à demeurer dans les terres de leurs ancêtres.

Cette tragique et regrettable aventure suscita, pendant longtemps, de vives polémiques. Citons pour conclure les paroles d'un journaliste du *Daily Herald* d'Omaha, Nebraska, qui n'a pas hésité à écrire : « Cette affaire cheyenne est une honte pour les Etats-Unis. »

Ce document sur Wounded Knee est dû à l'indien Andrew Standing.

Après l'atroce massacre, on enterre ainsi les malheureuses victimes.

WOUNDED KNEE

Quand, le 14 décembre 1890, Sitting Bull, le grand chef sioux fut lâchement assassiné par un homme de la police indienne, Red Tomahawk, dans la réserve de Standing Rock, un certain nombre d'Indiens miniconjoux s'en furent se réfugier angoissés dans les Mauvaises Terres. Big Feet, à la tête d'un petit groupe de partisans vint les rejoindre. Quelques jours plus tard, ils étaient pourchassés par un détachement du 7e de Cavalry, commandé par le major Samuel M. Whitside, qui fut bientôt rejoint par son chef, le breveted-brigadier general James W. Forsythe, qui prit le commandement des opérations. L'officier avait, avec lui, quatre mitrailleuses Hotchkiss à tir rapide.

Les Indiens s'étaient regroupés à Wounded Knee creek, dans le sud du Dakota.

Au matin du 29 décembre 1890, le breveted-brigadier general tenta de les désarmer. Un Ghost-dancer harrangua ses compagnons, il y eut un déclic d'armes et ce qui arriva ensuite se déroula dans la confusion. Les armes automatiques crépitèrent, fauchant les malheureux Indiens venus pour faire leur soumission. Avant de tomber, se voyant trahis, certains purent faire usage de leurs armes. Lorsque le calme fut rétabli, on compta quatre vingt-huit guerriers, quarante-quatre femmes et onze enfants indiens gisant morts sur le sol recouvert de neige. Du côté des militaires, les morts se montaient à vingt-quatre soldats et un officier et les blessés à trente-deux soldats et trois officiers. Le général Nelson A. Miles s'empressa de venir sur les lieux pour enquêter et apaiser les esprits. Certains assurèrent que les militaires étaient ivres et que les mitrailleuses étaient en position, prêtes à entrer en action. Ce qui est certain, c'est que les Indiens, las de combattre, décimés par la faim, usés par les privations et les maladies, étaient résolus à accepter toutes les conditions imposées par les Visages Pâles. Ainsi Wounded Knee après Sand creek, Washita et fort Robinson, vint-il s'ajouter au palmarès peu reluisant des massacres imbéciles.

Cela mit le point final aux guerres indiennes dans cette région des États-Unis.

Les rencontres qui suivirent, furent sans grande importance et eurent lieu dans le Sud, en territoire apache de l'Arizona et du Nouveau Mexique.

Les guerres indiennes ne cessèrent véritablement qu'en février 1916 quand des Indiens païutes, qui s'étaient opposés à l'arrestation d'un des leurs, recherché pour meurtre, résistèrent à une troupe de soixante quinze hommes, sous les ordres d'un U.S. Marshall, le général Hugh L. Scott. Intervenant avec beaucoup de bon sens il put éviter le pire. L'Indien recherché se rendit, fut jugé et acquitté.

Les combats sanglants appartenaient enfin... au Passé.

Monument perpétuant cette tragédie, élévé par les Indiens eux-mêmes.

Après la rencontre, on fait l'inventaire des morts (d'après Remington).

Masque sculpté avec soin pour servir dans les cérémonies rituelles.

RITES ET CROYANCES DES PEAUX-ROUGES

Les croyances indiennes sont très proches des religions des autres peuples et notamment de celles des Blancs. Les Peaux Rouges, comme les Visages Pâles, reconnaissent l'existence d'un dieu tout-puissant, le Grand Esprit, qui préside à toutes les manifestations de leur existence. Pour eux, le Grand Esprit est partout. Il se trouve autour d'eux, dans la nature et ses moindres aspects. Pour beaucoup d'Indiens, le soleil source de vie est le chef suprême. On retrouve la manifestation du dieu dans les vents, dans les quatre directions, auxquelles parfois ils en ajoutent deux nouvelles, celle montant vers le ciel et celle s'enfonçant dans le sol.

Les Indiens sont très influencés par leurs croyances. Celles-ci, en effet, jouent sur le déroulement de toutes leurs cérémonies rituelles célébrant les grands événements. Cette même influence se retrouve sur les décorations de leurs poteries et sur les motifs qui ornent leurs couvertures.

Dans les régions arides, comme les abords du Grand Canyon, les dieux de la pluie sont très souvent sollicités alors que l'on n'invoque pas les dieux du soleil, comme c'est d'usage chez les Indiens des plaines et des forêts.

Danses sacrées des notables de la tribu, autour du Medecine man.

Il y a aussi les dieux malfaisants, ceux qui se cachent dans les tourbillons des torrents impétueux, ceux qui provoquent les éclairs allumant les incendies au cours des violents orages.

Les Indiens considèrent certaines bêtes comme des mammifères divins. Il y a ainsi le daim suprême, le grand buffalo, tous deux animés, d'ailleurs, de bonnes intentions vis-à-vis des hommes et que ceux-ci ne manquent pas d'invoquer avant le départ pour la chasse.

Chaque clan des tribus du nord-ouest a son animal protecteur, reproduit sur le totem familial, qui assure la protection des différentes générations. Chaque homme a son animal personnel qu'il ne tuera sous aucun prétexte.

La plupart des Indiens croient à une vie nouvelle après la mort, une vie heureuse, celle qui se déroule au pays des Chasses Eternelles, une vie de laquelle sont bannis tous les tracas et les soucis de la vie sur terre. Dans ce pays, des hommes fantômes chassent des animaux fantômes.

Les Indiens dansent à la moindre occasion, pour le plus futile prétexte, avant de prendre le sentier de la guerre, avant de partir pour la chasse ou la pêche, pour demander la pluie indispensable au mil et au maïs, pour remercier les dieux d'une bonne récolte, pour souhaiter la bienvenue aux saisons.

Les danses indiennes sont généralement très simples, faciles à exécuter sur un rythme qui peut paraître monotone mais dans lequel chaque intonation, chaque geste ont leur importance. C'est pourquoi chacune d'elles nécessite une très longue préparation.

La musique d'accompagnement emploie des tambours, des

crécelles et des flûtes taillées dans des os d'animaux, ou de simples roseaux. Elle entraîne les danseurs sur son rythme qui souvent s'éternise et peut paraître lassant. Certains des musiciens chantent ou sont accompagnés par des chœurs.

Autrefois, les hommes et les femmes dansaient séparément, chacun de son côté, en exécutant des pas différents, sur une cadence identique. Mais, quand les hommes blancs parurent, les Indiens apportèrent quelques changements. Les hommes et les femmes s'unirent pour les danses populaires, tandis qu'ils continuaient à respecter fidèlement la tradition pour le cérémonial des danses religieuses et celles exécutées pour les grands événements de la tribu.

Dans la plupart des clans, lorsque les hommes dansaient, ils frappaient le plus fort possible le sol de leurs talons. Généralement les danseurs changeaient de place très lentement, alors que très rapidement leur attitude se modifiait. Dans certaines danses, certains exécutants faisaient onduler leur bras, tandis que dans d'autres, ils brandissaient leurs armes dans des attitudes menaçantes et provocatrices. Dans d'autres encore, ils poussaient des cris sourds.

Dans certaines tribus, lorsque les hommes partaient à la guerre, les squaws se mettaient à danser au centre du camp et demandaient le retour sain et sauf de leurs compagnons.

SUNDANCE ET SNAKEDANCE

La Sundance était exécutée par les Indiens sioux du Dakota et leurs descendants perpétuent, encore de nos jours, cette tradition. C'est une danse essentiellement religieuse au cours de laquelle ceux qui y participent formulent des vœux à l'adresse des forces mystérieuses de la nature. Autrefois la Sundance était célébrée pour remercier le Grand Esprit lorsqu'on avait réussi à échapper des mains de l'ennemi ou qu'un être cher, un ami, était remis de ses blessures ou d'une longue maladie. La Sundance est encore de nos jours solennellement exécutée en juillet, à la réserve de Pine Ridge, dans le Dakota du sud.

La snakedance appartient exclusivement aux Indiens Hopis. Ceux-ci, vivant en Arizona, dans des régions sèches et chaudes, ont besoin des pluies pour fertiliser leurs moissons. Des serpents sont alors ramassés dans les prairies, aux quatre points cardinaux et pendant neuf jours, ils seront lavés et purifiés dans la « kiwa », chambre close, à laquelle on accède seulement par une ouverture pratiquée dans le toit. Cette « Kiwa » est un endroit sacré, dans lequel les danseurs essaient de se purifier en demeurant des heures dans un véritable bain de vapeur, de l'eau étant jetée sur des pierres brûlantes sans cesse renouvelées. Vingt-quatre heures plus tard, les danseurs sont prêts à se rendre sur la place centrale du village. Au milieu de celle-ci, dans une hutte en roseau, est disposée une corbeille en roseau contenant des centaines de serpents.

Les exécutants arrivent. Ce sont tout d'abord les danseurs-antilopes, peints en blanc et agitant des crécelles faites d'écailles de tortue. Ils se disposent en demi-cercle, tournant le dos à la hutte en roseau. Viennent ensuite les danseurs-serpents peints en brun qui alors forment des couples : un danseur devant, un autre derrière, celui-ci posant sa main gauche, sur l'épaule gauche de son compagnon, la droite tenant une plume. Les deux hommes s'approchent de la hutte et le premier, plongeant la main dans la corbeille, saisit des serpents qu'il place dans sa bouche. Alors, sur un

Cette poupée kachina porte les parures hopis pour la danse de l'Aigle.

Dessin de l'Indien Wo-Peen d'un Hopi prêt pour la Sun-Buffalodance.

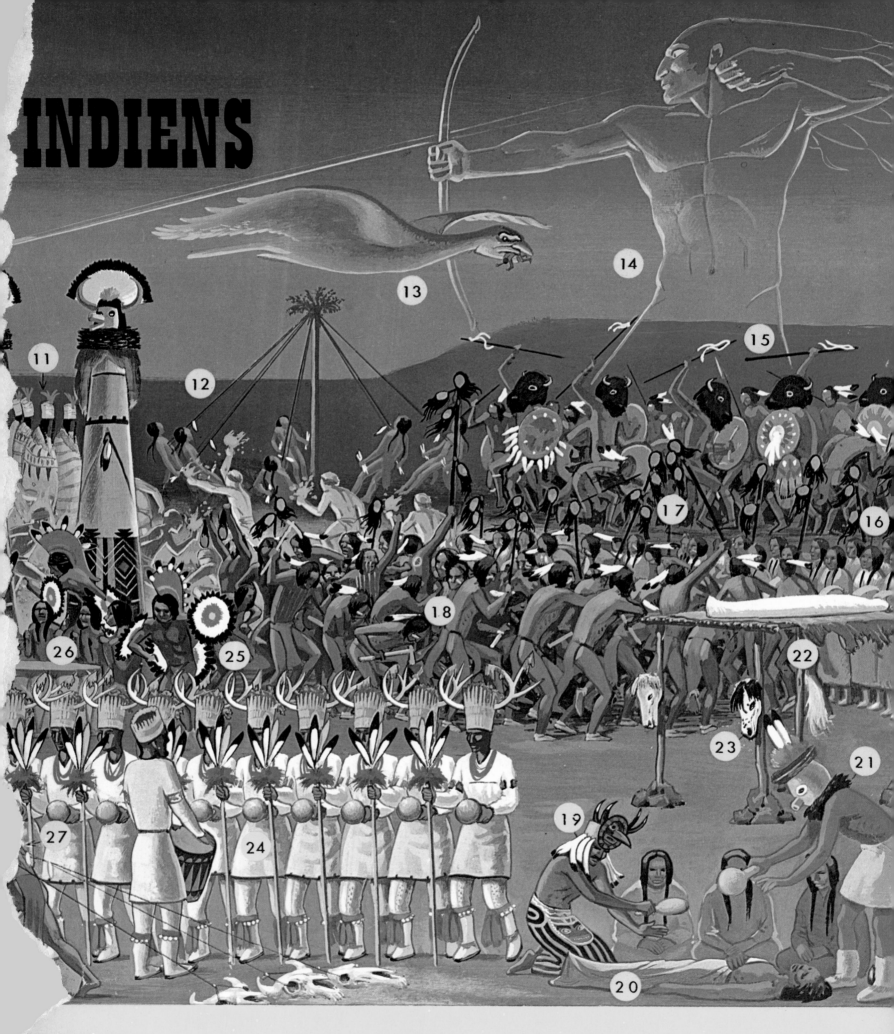

INDIENS

gende shoshene); (15) Danse des chasseurs de bisons. Le danseur est à la
ois le chasseur et le gibier; (16) Femme jouant du tambourin; (17) Perches
upportant des scalps; (18) Danse du scalp; (19) Medecine man (sorcier) du
Nord-Ouest chassant un mauvais esprit; (20) Malade possédé du mauvais
esprit; (21) Sorcier navajo; (22) Tombe d'un chasseur; (23) Tête et queue de
ses chevaux favoris; (24) Danse du Daim; (25) Danse de guerre des Kiowas;

(26) Tambour; (27) Baguette passant au travers des chairs du dos; (28) Forme
simplifiée de la Sundance; (29) Danse de l'Esprit de la Montagne; (30) Danse
kachina, dite Tashaf des Hopis; (31) Eagle dance (Danse de l'Aigle); (32) Cérémonie à l'intérieur du Kiwa; (33) Indien portant le masque « Goyomshi »;
(34) Personnage représentant une femme faisant des offrandes; (35) Décoration
symbolique et serpents actionnés derrière le rideau.

LES RITES ET DANSES DES

((1) Mat totemique des Indiens du Nord-Ouest. Les mâts sont érigés à la gloire des ancêtres de la famille, dont ils célèbrent les hauts faits; (2) Pirogue-cercueil des Indiens pêcheurs du Nord-Ouest. Colombie britannique; (3) Cérémonie chez les Sioux par les faiseurs de pluie; (4) Vierges conduisant la procession; (5) Ce cavalier symbolise l'Ouest; (6) Celui-ci personnifie le Nord; (7) Cet autre représente l'Est; (8) Enfin ce dernier incarne le Sud; (9) La danse du Feu, chez les Navajos; (10) Kachinas géantes, danse zuni des Sakalos célébrant les ancêtres, c'est-à-dire les premiers hommes; (11) Les femmes exécutent la Danse du Bison blanc; (12) Sundance, c'est-à-dire la Danse du Soleil. Cérémonie d'auto-torture en hommage au Great Spirit; (13) Ong, oiseau légendaire, mangeur d'hommes; (14) Les flèches que lance le dieu créateur provoquent l'apparition des forêts, des animaux, des rivières là où elles touchent la terre

Ces quatre documents sont d'une exceptionnelle valeur. Ils ont été pris en 1912, par Earle R. Forrest à la réserve d'Oraibi en Arizona, au cours d'une Snakedance exécutée par les Hopis.

Earle R. Forrest a été le seul autorisé à photographier la cérémonie et ses négatifs sont les seuls témoignages authentiques de cette danse sacrée. Aux visiteurs qui aujourd'hui assistent, au mois d'août, à la Snakedance, dans la seconde Messa, il est ordonné de ne prendre aucune photo ou enregistrement sonore ni de faire le moindre croquis. Les Hopis leur disent : « Lorsque nous allons dans vos villes et vos églises nous respectons vos lois. Ici, c'est une cérémonie religieuse, faites de même ! »

rythme toujours semblable, ils tournent en rond, celui de devant agitant une crécelle, tandis que l'autre accapare l'attention des reptiles avec sa plume, qu'il ne cesse d'agiter devant eux.

Cela dure exactement une heure. Sans aucun signal, les exécutants s'arrêtent en même temps, déposent sur le sol les serpents qui s'enfuient dans toutes les directions mais qui sont vite rattrapés. Alors, quatre couples de danseurs les rassemblent et partent dans la direction des quatre points cardinaux. A une certaine distance du village, les reptiles sont rendus à la liberté.

C'est un spectacle étonnant, très impressionnant. Les visiteurs sont aujourd'hui tolérés, mais il est rappelé à chacun qu'il est interdit de prendre la moindre photo, d'exécuter le moindre croquis et d'enregistrer le moindre son.

Les dernières photos ont été prises en 1912, par Earle R. Forrest, un Westerner californien, grand spécialiste de la Snakedance. Certaines photos illustrent ce chapitre.

Le tabac est très souvent employé au cours des cérémonies rituelles. Il a, en effet, un sens religieux et le calumet qui est utilisé par le Shaman et les dignitaires de la tribu est une pipe sacrée. « Calumet » vient du français « chalumeau », mot que les Indiens ont entendu prononcer par les premiers trappeurs français venus du Mississippi.

Au cours du Grand Conseil, le chef de la tribu prend la pipe sacrée et en tire plusieurs bouffées qu'il souffle vers la

Kachina montrant trois danseurs hopis prêts à exécuter la Snakedance.

La Navajo, Grey Squirrel, efface le dessin rituel qu'il vient de faire.

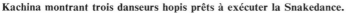

terre, le ciel et les quatre vents. Il remet ensuite le calumet à l'homme situé au sud, près de l'entrée. La pipe sacrée fait le tour de l'intérieur du tipi, mais ne doit pas franchir l'ouverture. Le calumet est la pipe de l'amitié mais il n'a jamais été le symbole de la paix. Toutefois, il a le pouvoir d'imposer celle-ci.

La plupart des fourneaux de pipe sont taillés dans une pierre rouge très friable, la catlinite, que l'on trouve dans le Dakota. Une légende indienne assure que le lieu fut marqué par une rude bataille et que le sang versé au cours de celle-ci donna à la pierre sa couleur.

Lorsque les premiers voyageurs français arrivèrent ils furent reçus au pied des Rocheuses par les Indiens qui exécutèrent pour eux la « Danse du Calumet ».

DES RÉCITS SIMPLES ET POÉTIQUES

Les légendes indiennes sont innombrables. Chaque tribu, chaque clan a les siennes propres qu'elle se transmette fidèlement, d'une génération à une autre. Les Peaux Rouges se plaisent à voir le merveilleux partout. Ils ont alors imaginé des récits très simples remplis de charme où tout ce qui les entoure, tous les animaux qu'ils rencontrent se retrouvent. C'est le castor qui dérobe le feu du ciel ou qui, frappant le sol de colère avec sa queue, creuse les vallées sur la surface de la terre ; c'est le coyotte, que certains humilient, mais qu'ils considèrent avec respect, car, pour eux, c'est un animal courageux. Les arbres des forêts, les pierres des canyons, les cascades et les grottes leur ont inspiré des légendes fantastiques. La création du monde et les grands événements de leur vie ont donné prétexte à des contes épiques où l'on découvre une véritable poésie.

Certaines similitudes, disions-nous au début de ce chapitre, existent entre les croyances des Indiens et certaines de nos religions. En voulez-vous un exemple ?

Un Indien se tenait dans un canot, tandis que la pluie tombait sans répit. Cela dura un nombre de lunes égal à quarante jours. Au matin suivant, le soleil parut enfin réchauffant la terre de ses bienfaisants rayons. L'Indien se saisit d'une loutre, qu'il avait au fond de son canot et lui donna la liberté. L'animal s'en fut vers le rivage tout proche et revint, peu après, tenant dans sa gueule, une branche de lichen.

Cela ne vous rappelle rien ? Cette légende indienne ne réveille-t-elle pas en vous des souvenirs concernant une Arche ?

Au cours de cérémonies religieuses, et pour obéir à certains rites sacrés, les Indiens Navajos tracent des dessins avec du sable coloré.

Nul ne fut autant photographié que Buffalo Bill, lequel aimait cela.

DU "PONY-EXPRESS" AU "WILD WEST SHOW"

William F. Cody, plus connu sous le sobriquet de Buffalo Bill, est pour beaucoup le héros qui personnifie le mieux l'aventurier de l'Ouest.

Admiré par beaucoup, honni par certains, tant aux Etats-Unis qu'en Europe, il est cependant celui qui certainement a fait naître la passion de l'aventure américaine.

Certes, Buffalo Bill n'a pas fait tout de qu'on lui prête. Il a été exploité par les auteurs populaires, qui lui ont forgé des exploits extraordinaires. William F. Cody a certainement souri lorsqu'il les a appris. Il ne les a pas contredits; cette publicité ne lui nuisait pas, au contraire.

S'il n'a pas été le superman de l'Ouest, sa vie a été fertile en incidents. Il a terminé sa carrière d'homme de l'Ouest en promenant un cirque, semblable à celui de Barnum and Bailey, aux Etats-Unis puis en Europe. Il a révélé à des centaines de milliers de personnes ce qu'était le Far West,

avec ses cow-boys et ses Indiens. Grâce à lui, les Européens qui ignoraient tout de la lointaine Amérique, ont vu avec surprise que les Peaux Rouges qu'ils voyaient pour la première fois, ne ressemblaient pas aux sauvages des Mers du Sud. Buffalo Bill a été, cela ne fait aucun doute, le meilleur agent de publicité — on dirait, aujourd'hui, « public relation » — des Etats Unis et rien qu'à ce titre, il a droit à quelque reconnaissance de la part de ses concitoyens.

William F. Cody est né à Le Clair, dans l'état d'Iowa, le 26 février 1846. Sa famille peu après sa naissance alla s'établir à fort Leavenworth, sur les rives du Missouri. Lorsque le jeune Bill eut atteint sa onzième année, alors qu'il accompagnait son père à la ville, un certain Charles Dunn, farouche anti-abolitionniste, se prit de querelle dans un magasin, avec Isaac Cody qui ne partageait pas ses idées et il le frappa d'un coup de couteau. Quelques jours plus tard, le malheureux rendit le dernier soupir. William, devenu le chef de la famille, s'en fut chercher du travail et fut engagé par la célèbre firme de diligence « Russel Waddell and Majors ». Ayant prêté serment, il apprit son métier sous les ordres de Charles Mc Carthy. Pour 40 dollars par mois, il escorta plusieurs caravanes et entreprit son premier voyage vers l'Ouest, en mai 1857. Une nuit de garde, il tua son premier Indien.

En 1860, il entra au fameux « Pony Express » et devint le plus jeune messager de l'entreprise. Il opéra dans le relais de Horseshoe station sous les ordres d'un certain Joseph A. Slade, un chef autoritaire qui, par la suite, devint hors-la-

La petite maison de Le Clair, Iowa, où il naquit le 26 février 1846.

Mary Ann Cody, sa mère, pour laquelle il eut une très grande affection.

W. F. Cody à deux ans. Il ne songe pas encore à devenir Buffalo Bill.

Gravure montrant le jeune garçon, alors qu'il escorte une caravane.

loi et fut pendu par les Vigilants de Virginia city, au Montana. Alors qu'il était au Pony Express, le jeune William ayant un jour trouvé sur sa piste les relais pillés et incendiés par les Indiens, brûla les étapes et parvint à atteindre sain et sauf Sweetwater Ridge. Grâce à cet exploit son nom prit place sur la liste d'honneur, aux côtés de ceux de Johnny Fry, Deadwood Dick Clark et du champion des champions, l'inégalable Robert « Pony Bob » Halsam.

AGENT SECRET

Lorsqu'éclata la guerre de Sécession, il prit du service d'abord comme « ranger-guard » au Kansas, puis dans les troupes de l'Union pour lesquelles il accomplit deux missions dangereuses dans les lignes sudistes.

A la fin des hostilités, sitôt démobilisé, il se rendit à Saint Louis, pour y épouser Louisa Frédérici, fille d'un important fonctionnaire. Il servit, alors comme scout dans plusieurs forts tels que Ellsworth, Fletcher et Hayes. Dans ce dernier, il opéra pour le compte du général George A. Custer. Après quoi, sollicité par les frères Goddard qui devaient assurer les cantines des chantiers du « Kansas Pacific railroad », il fournit le ravitaillement en viande fraîche, en chassant les buffles dans les prairies voisines. C'est à cette époque, qu'il reçut son surnom de Buffalo Bill. Un autre chasseur réputé, Bill Comstock, revendiqua cette appellation. Un match fut décidé. Celui qui abattrait le plus de

buffles serait le seul vainqueur. L'épreuve eut lieu et se termina sur le tableau suivant : Bill Comstock : quarante six bêtes; William F. Cody : soixante neuf. Ce dernier fut déclaré vainqueur. Ayant repris du service comme scout dans l'armée, ce fut à fort Learned qu'il entreprit une course fantastique de 355 miles — plus de 560 kilomètres — qu'il réalisa en 58 heures d'affilée.

Au cours de l'année 1869, dans un poste militaire, le fort Mc Pherson au Nebraska, il fit la connaissance du reporter, Ned Buntline, de son véritable nom Edward Zane Carroll Judson, qui avait roulé sa bosse un peu partout et dont la réputation était plutôt douteuse. Ned Buntline, après avoir bavardé avec celui qu'on appelait, désormais, Buffalo Bill, rentra à New York. Quelques semaines plus tard une maison d'édition populaire, Street and Smith, lançait une nouvelle série « Buffalo Bill, le Roi des Éclaireurs », qui dès le premier numéro rencontra un succès considérable. Ces brochures, qui seront éditées plus tard en Europe, font à William F. Cody une publicité formidable.

LA CHASSE DU GRAND DUC

En 1872, le Grand duc Alexis de Russie se rendit à North Platte, dans le Nebraska, pour y chasser le bison. Buffalo Bill, qui habitait cette ville, servit de guide au visiteur et lui présenta plusieurs chefs indiens. Cette même année, sollicité par Ned Buntline, il accepta de monter sur les

Ce tableau de Robert Lindeux, artiste d'origine française, reconstitue, de façon assez fantaisiste, le fameux combat avec le chef Yellow Hand.

Quatre affiches du « Wild West Show ».

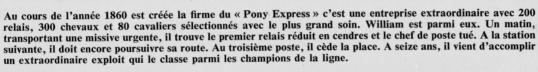

liam devient le chef
à la Russell, Majors
rge de convoyer les
urs d'une garde noc-

Au cours de l'année 1860 est créée la firme du « Pony Express » c'est une entreprise extraordinaire avec 200 relais, 300 chevaux et 80 cavaliers sélectionnés avec le plus grand soin. William est parmi eux. Un matin, transportant une missive urgente, il trouve le premier relais réduit en cendres et le chef de poste tué. A la station suivante, il doit encore poursuivre sa route. Au troisième poste, il cède la place. A seize ans, il vient d'accomplir un extraordinaire exploit qui le classe parmi les champions de la ligne.

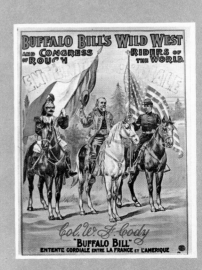

in 1876, à Little Big Horn, le général Custer et ses hommes sont tués. William F. Cody, qui est éclaireur, avec le grade de colonel, agne le général Wesley Merritt qui, avec cinq cents cavaliers, tente d'intercepter huit cents Cheyennes. Ceux-ci ont quitté leurs réserves oindre Sitting Bull au Canada. Le 17 juillet Cody, rencontre des Cheyennes dont le chef, Yellow Hand, lui lance un défi aussitôt relevé. x hommes alors se mesurent en un étrange combat singulier. Buffalo Bill finit par triompher. Se précipitant sur son adversaire, il le de puis le dépouille de sa chevelure qu'il brandit vers le ciel dans un geste de victoire. Il s'écrie alors : « Le premier scalp pour Custer. » les Cheyennes se retirent silencieux respectant les conditions fixées.

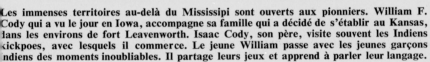

Les immenses territoires au-delà du Mississipi sont ouverts aux pionniers. William F. Cody qui a vu le jour en Iowa, accompagne sa famille qui a décidé de s'établir au Kansas, dans les environs de fort Leavenworth. Isaac Cody, son père, visite souvent les Indiens kickpoes, avec lesquels il commerce. Le jeune William passe avec les jeunes garçons indiens des moments inoubliables. Il partage leurs jeux et apprend à parler leur langage.

A la suite du décès de son père blessé grièvement par un farouche esclavagiste, le jeune W de la famille. Il doit travailler pour faire vivre sa mère et ses sœurs. A onze ans, il s'enga and Waddell, célèbre entreprise de diligences, de transport de marchandises et qui se c troupeaux dans l'ouest. Menant une existence mouvementée, il tue son premier Indien au c turne et acquiert rapidement malgré son jeune âge une solide réputation d'éclaireur.

La guerre de Sécession ensanglante les États-Unis. Cody, qui a dix-huit ans, s'engage dans les rangs nordistes. Grâce à sa parfaite connaissance des pistes, il est affecté aux services secrets. Il effectue, alors, plusieurs missions périlleuses dans les lignes sudistes en portant la tenue des Confédérés. Au cours d'une mission, il rencontre Wild Bill Hickok qui espionne, lui aussi, pour les Nordistes.

La guerre terminée, William F. Cody redevient éclaireur et opère pour les généraux Sherman et Custer. On est en train de construire le chemin de fer transcontinental. Il faut ravitailler les chantiers en viande fraîche. Le jeune homme chasse alors le bison pour la Kansas Railroad Co. Un chasseur revendique le titre de Buffalo Bill qu'on lui donne. Bill Comstock lui lance un défi. Les deux hommes s'affrontent pendant huit heures. Le tableau est le suivant : Comstock : 46 bêtes; Cody : 69. Ce dernier est le seul autorisé à porter ce titre.

Le acco pour Les poign Rési

A Montréal, en 1885. Autour de Buffalo Bill, debout, Crew Eagle et W-H. Murray; assis, un interprète indien, Sitting Bull et Johnny Baker.

planches et joua une pièce intutilée « *The Scout of the Plains* » dans laquelle il se révéla un comédien excécrable. La pièce fut néanmoins un succès.

William F. Cody, nullement attiré par le théâtre, retourna dans l'Ouest avec ses amis les cow-boys et les Indiens.

En 1872, inscrit sur la liste des candidats démocrates du 25ème district du Nebraska sans qu'on lui eût demandé son avis, il fut élu député.

Il se rendit à Washington où il découvrit que ses nouveaux collègues avaient une curieuse conception de la vie dans l'Ouest, en général, et des Indiens, en particulier. Un soir, au cours d'un banquet, répondant à un de ses voisins qui avait déclaré : « Le seul bon Indien est un Indien mort ! », rouge de colère, il lança, dans l'assiette de l'individu, une pièce de deux dollars en lui déclarant : « Voilà le seul Indien que vous respectez ! » En effet, sur une des faces de la pièce en argent, se trouvait une tête de Peau Rouge.

Nullement attiré par la vie politique, il repartit, une fois encore dans le Nebraska, et participa, en 1876, à la guerre contre les Sioux.

Ce fut la défaite du général Custer à Little Big Horn.

LE DUEL AVEC YELLOW HAND

Le 25 juin 1876, les cavaliers du 7ème de cavalry, furent tous massacrés. Il en fut de même de leurs chefs. Buffalo Bill était aux côtés du général Wesley Merritt lorsque lui parvint la nouvelle. Wesley Merritt reçut l'ordre de se porter à la rencontre d'une colonne d'environ huit cents Cheyennes qui avaient quitté le camp de Red Cloud, pour tenter de rallier les compagnons de Sitting Bull. Ces derniers, en effet, essayaient de gagner les frontières du Canada.

Les rives de la War Bennett river furent atteintes. A l'aube du 17 juillet William F. Cody qui faisait une patrouille

Dans son ranch, proche de Cody, dans le Wyoming, Buffalo Bill possédait un troupeau de bisons.   **Annie Oakley, fameuse champonne de tir.**

Une carte postale montre le cirque de Buffalo Bill au Champ de Mars et l'autre, les Indiens du « Wild West Show » en bateau, sur la Seine.

Le premier roman de Ned Buntline, tel qu'il parut à New York en 1869.

Ces brochures, contribuèrent à la renommée du célèbre Buffalo Bill.

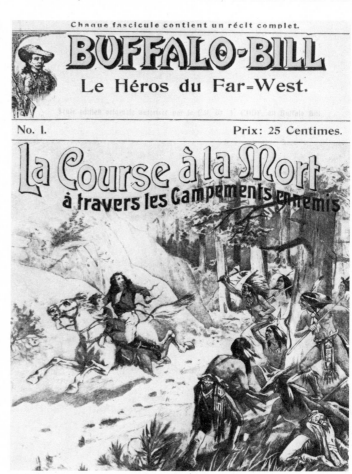

accompagné d'un autre éclaireur, Baptiste Garnier, rencontra sur le chemin du retour un groupe important de Cheyennes. Parmi les chefs Indiens se trouvait Yellow Hand, un des chefs les plus redoutables, qui lança à Buffalo Bill, un défi aussitôt relevé. Alors eut lieu, en présence des deux troupes, un combat très singulier, au cours duquel, deux hommes, un Visâge Pâle et un Peau Rouge, s'affrontèrent. Il se termina à l'avantage de Buffalo Bill qui, brandissant la chevelure de son ennemi s'écria « — Le premier scalp pour Custer ! »

Le lendemain, Cut Nose, le père de Yellow Hand, vint demander à William F. Cody la chevelure de son fils. Buffalo Bill refusa de la lui rendre.

En 1883, William F. Cody envisagea de monter, sous un chapiteau, un spectacle grandiose : le « Wild West Show ». Le 17 mai, la première représentation fut donnée à Omaha et ce fut ensuite une grande tournée à travers les États Unis. En 1886, il se rendit en Angleterre, donna des représentations devant la reine Victoria. Il avait dans son programme Sitting Bull et Annie Oakley, la plus extraordinaire tireuse du monde. Buffalo Bill visita ensuite la France. A Paris, il s'installa porte de Neuilly. Il se rendit ensuite, en Italie et en Allemagne.

Rentré aux Etats Unis, il s'installa dans le Wyoming où il fonda la ville de Cody qu'il quitta pour parcourir à nouveau lé monde avec son cirque. A Paris, en 1905, il installa son « Wild West Show » au Champ de Mars près de la Tour Eiffel.

Rentré en Amérique, il fut la proie d'aigrefins qui le dépouillèrent et l'obligèrent à vendre tous ses biens. Il donna des représentations avec un cirque minable. Il fut pris d'un malaise à Omaha, en janvier 1917; transporté chez sa sœur Mary à Denver, il rendit le dernier soupir le 10 de ce mois. Il fut enterré avec une rare solennité au sommet de la Lookout mountain, qui domine la capitale du Colorado.

Un document très rare : Pancho Villa et ses partisans après s'être emparé de Juarez, Mexique, dont ils seront chassés par les Américains.

ALERTE SUR LE RIO GRANDE

Dans une modeste ferme de San Juan del Rio, dans la province de Durango, Mexique, naquit, le 4 octobre 1877, un garçon du nom de Doroteo Durango.

Il débuta dans la vie comme dresseur de chevaux sauvages et travailla pour un riche propriétaire, qu'il quitta pour aller rejoindre une bande de despérados, qui écumait les pistes. Ce fut alors qu'il changea son nom, pour prendre celui de Pancho Villa, déjà rendu célèbre par un bandit de la région. Organisant alors sa propre troupe, qui se spécialisa dans le vol du bétail, il opéra tout au long de la frontière des États-Unis, ce qui lui valut de voir sa tête mise à prix par le gouvernement de Porfirio Diaz. Il s'empressa de rallier Francisco Madeiro, lorsque celui-ci se révolta contre ce dernier. Durant les opérations qui suivirent, Pancho Villa fut capturé par les troupes gouvernementales mais réussit à s'évader du pénitencier de Santiago Tlaltelolco et à gagner le Texas. En 1914, il rentra au Mexique pour se joindre aux troupes du général Venustiano Carranza, qui luttait contre Victoriano Huerta, qui, après avoir fait assassiner Francisco Madeiro et renversé Porfirio Diaz, s'était fait nommer président à sa place. Venustiano Carranza et Pancho Villa menèrent ensemble les opérations, mais le premier refusait de traiter d'égal à égal avec le second, qu'il considérait comme un vulgaire bandit.

Les deux hommes se séparèrent et tandis que Venustiano Carranza se dirigeait sur Vera Cruz, Pancho Villa fonçait sur Mexico qu'il occupa sans coup férir.

Sur l'ordre de Venustiano Carranza, Alvaro Obregon attaqua Pancho Villa et l'obligea à chercher refuge dans les montagnes de Chihuahua, dans le nord du Mexique.

Ce fut alors que le président des États-Unis, Woodrow Wilson, pour lequel Pancho Villa avait une très grande admiration, reconnut le gouvernement de Carranza. Pancho Villa considéra cela comme une trahison. Dès lors, il voua une haine farouche aux « gringos » et décida de se venger à la première occasion. Opérant tout au long de la frontière des États-Unis, Pancho Villa subit un échec à Agua Pieta. Il se replia sur Cananea, puis attaqua Nogalès et se rendit

Pancho Villa voulait libérer les malheureux de la faim et de la misère.

sur la côte du Pacifique où assiégeant Hermosillo il perdit les quarante canons qui lui restaient encore. Après avoir dispersé ses troupes, en leur donnant rendez-vous pour plus tard, il se retira à Chihuahua.

Le 19 janvier 1916, deux de ses fidèles lieutenants, ayant intercepté un train minier, près de San Isabel, descendirent les quinze sujets américains qui s'y trouvaient.

Les ouvriers agricoles mexicains se rendant en Arizona pour travailler dans les ranches étaient soumis à une très sévère surveillance à la frontière. Un jour, dix sept d'entre eux périrent carbonisés à Nogalès, par une solution insecticide qui avait soudainement pris feu. Cela donna à Pancho Villa le prétexte de se venger de « ces infâmes gringos ».

Il rassembla ses effectifs à Las Cruses, non loin de Chihuahua et annonça qu'il allait attaquer une ville américaine. Le 3 mars 1916, Pancho Villa et ses partisans arrivèrent à San Miguel de Barbicora. Cinq jours plus tard, ils étaient à trois miles de Columbus, qui se trouvait juste de l'autre côté de la ligne internationale. La nuit, non loin d'un poste de l'armée fédérale mexicaine, les cavaliers, guidés par un Noir, fait prisonnier, nommé Thomas, franchirent la frontière. Pancho Villa scinda alors sa troupe en deux groupes qui attaqueraient, l'un vers le nord-ouest le campement militaire ; l'autre la ville d'ouest en est. Il demeurerait avec quarante hommes et leurs montures, car l'attaque devait se faire à pied, pour accroitre l'effet de surprise.

STAMPEDE SUR COLUMBUS

A 4 heures du matin ses partisans se glissèrent à l'intérieur de Columbus puis, brusquement, crièrent « Viva Villa! Viva Mexico! » tout en tirant des coups de feu. Après quoi, en divers endroits, des incendies furent allumés. Les militaires réveillés brusquement ripostèrent avec efficacité. L'hôtel Commercial ne fut plus bientôt qu'un immense brasier, puis ce furent la Banque, la Poste centrale et les demeures des Américains, connus pour leurs sentiments antivillistes, qui brûlèrent.

Le temps de tuer sept soldats et autant de civils, de faire main basse sur l'argent des coffres de la banque et d'entraîner hors d'un corral une quarantaine de chevaux particulièrement rétifs, les assaillants s'éclipsèrent sous les crépitements de plusieurs mitrailleuses qui avaient été difficilement libérées des chaînes cadenassées les retenant au ratelier d'armes. Le major Tompkins, qui commandait la garnison, rejoignit ses troupes une fois l'alerte terminée et rédigea sur l'incident un rapport, dans lequel il se donna le plus beau rôle.

L'attaque de Columbus on s'en doute, mit les Américains dans une colère folle. Une expédition punitive commandée par le général John Pershing fut décidée. Avec l'accord du gouvernement mexicain, elle franchit le rio Grande et pénétra au Mexique, cherchant Pancho Villa et ses partisans ; elle dut alors affronter une population hostile, qui ne se gênait par pour crier « Viva Villa! ».

Pendant des semaines les colonnes américaines fouillèrent vallées et forêts. Plus d'une fois, elles frôlèrent Pancho Villa immobilisé par une mauvaise blessure.

Un jour la situation entre Mexicains et Américains s'envenima. On parla même de se battre ouvertement. Des conférences se succédèrent, puis le calme revint. John Pershing et son expédition punitive rentra aux États-Unis.

En 1920, le président Adolfo de la Huerta amnistia Pancho Villa, qui se retira à Canutillo, près de Durango. Les années s'écoulèrent dans le calme et l'aisance. Le 19 juillet 1923, Pancho Villa au volant de sa Dodge se rendit

Groupe de volontaires de Villa. Les femmes elles aussi prennent les armes.

Trois des musiciens qui accompagnaient la troupe de Pancho Villa.

Insurgés mexicains guettant l'arrivée des soldats de John Pershing.

à Parral pour y voir son notaire. Quatre jours plus tard, dès huit heures du matin, Pancho Villa, de très bonne humeur se préparait à regagner son hacienda quand soudain une rafale crépita. Un nommé Melito Loyosa, qui se considérait déshonoré par le guerillero, le guettait avec huit de ses amis.

Pancho Villa, tué sur le coup, entra alors dans la légende. Il demeure encore aujourd'hui dans le cœur des Mexicains qui voient en lui un combattant généreux et un grand patriote, qui fit beaucoup pour le peuple Mexicain.

PANCHO VILLA

(1) Au cours du raid sur Columbus, les hommes de Pancho Villa dérobent des chevaux; (2) Ils allument quelques incendies dans la ville; (3) Pancho Villa; (4) Fierro, dit « le Boucher de Villa »; (5) Un Noir, Tomas, fait prisonnier, guide les Mexicains depuis la frontière; (6) Des Mexicains qui habitent Columbus s'enfuient, craignant des représailles; (7) Au cours du raid, sept civils et sept soldats américains sont tués; (8) Récupérations des armes; (9) Découverte d'un stock de munitions; (10) Neutralisée au début de l'attaque, la garnison retrouve sa liberté d'agir et riposte; (11) Les Mexicains font sauter le coffre de la seule banque de la ville; (12) Éolienne et réservoir d'eau du chemin de fer; (13) Partisan de Pancho Villa; (14) Rurale (policier mexicain); (15) Mitrailleuse Colt; (16) Volontaire US servant dans les rangs de Pancho Villa, en 1814, contre Porfirio Diaz; (17) Soldat US; (18) Officier régulier mexicain; (19) Attaque américaine contre un village mexicain occupé par les hommes de Pancho Villa; (20) Après un bref combat les partisans décrochent; (21) Grièvement blessé au genou, Pancho Villa se réfugie avec deux compagnons, dans une grotte; (22) Attaque exécutée par des cavaliers réguliers mexicains; (23) Les Américains perdent quarante hommes; (24) Nouvelle tenue de la cavalerie US (Cartouchière de toile); (25) Bottes lacées; (26) Revolver; (27) Le 15 mars 1916, quinze-mille soldats US formant l'expédition punitive quittent Columbus; (28) Frontière; (29) Domaines de colons mormons; (30) Pancho Villa est repéré le 16 mars; (31) Il est accroché le 20 mars; (32) Les deux adversaires s'affrontent puis Pancho Villa disparaît; le 20 mars Pancho Villa une fois encore est blessé; (33) Point de regroupement des troupes US, avant l'évacuation du Mexique décidée le 21 avril; (34) Les troupes de Pancho Villa sont accrochées; (35) Lieu approximatif du refuge de Pancho Villa; (36) et (37) Le général mexicain Cavazos attaque les Américains les 5 et 8 avril; (38) C'est au tour du général Lozane à faire de même, quatre jours plus tard.

"FRONTIER DAYS" ET "STAMPEDES"

De nombreuses attractions, comme ce cavalier-acrobate, viennent s'ajouter aux nombreuses compétitions inscrites au programme.

Le spectacle le plus sensationnel du rodéo est certainement la course des chuck-wagons. La plus réputée est, sans contredit, celle de Calgary.

Si dans l'Est des Etats-Unis le sport le plus populaire est le base-ball, à l'Ouest, au-delà du Mississippi les compétitions les plus prisées sont, sans contredit, les rodéos. Chaque ville du Colorado ou du Texas, de l'Arizona ou du Wyoming, du Montana ou de la Californie, ne manque pas, le jour de la fête locale, d'organiser un rodéo auquel sont invités les meilleurs cavaliers de l'état et les champions les plus renommés. Ceux-ci ne manquent pas de répondre à l'invitation et s'inscrivent, en versant parfois jusqu'à vingt-cinq dollars, pour disputer une épreuve. Il est vrai que cela vaut la peine et que le prix consiste souvent en une somme impressionnante de dollars.

On dit que les rodéos furent imaginés par un modeste employé de chemin de fer. Son train étant arrêté pour quelques heures, dans une ville de l'Ouest, il s'en fut flâner dans la campagne environnante et parvint jusqu'à un ranch. C'était l'heure de la pause et les garçons se trouvaient réunis aux abords d'un corral. Certains étaient assis sur les barrières en bois et encourageaient un des leurs qui tentait, au centre de l'arène, de se maintenir sur un cheval particulièrement rétif. Le spectacle de la lutte de l'homme contre la bête était passionnant et les spectateurs échangeaient entre eux des paris. Les billets de banque vulgairement appelés « greenbacks » (dos-verts), changeaient de mains à la fin de chaque épreuve. Le cheminot, en retournant vers la gare pensa que c'était là un sport qui ne pouvait que plaire aux gens des villes et qui pouvait aussi rapporter beaucoup d'argent. Il quitta sa compagnie ferroviaire, réunit quelques amis qui voulurent bien le financer très modestement et le premier rodéo eut lieu. Ce fut un triomphe. Dès lors, chaque ville voulut organiser sa propre compétition et ce fut à qui aurait le rodéo le plus formidable et le plus sensationnel. Aujourd'hui il n'est pas une bourgade de l'Ouest, si modeste soit elle, qui n'ait pas sa compétition. Pendant au moins quatre jours, la localité, généralement paisible, retentit des exclamations de tous. Les spectateurs viennent de partout et souvent parmi les concurrents se trouvent des champions connus à travers tous les Etats-Unis. Les quatre plus célèbres rodéos, ceux qui font déplacer des dizaines de milliers d'amateurs et dont les prix totalisent des millions de dollars, sont le Round Up de Pendleton (Oregon) et de Salinas (Californie); les Frontier's Days de Cheyenne (Wyoming) et le Stampède de Calgary, province d'Alberta, au Canada. J'ai assisté aux trois derniers et je dois dire que le spectacle est inimaginable. Oui, c'est absolument fantastique.

Cheyenne qui, généralement, est une petite ville bien calme, bien qu'étant la capitale de l'état, est, pendant la première semaine de juillet, envahie par des milliers de visiteurs et vit dans une fièvre continuelle. Les hôtels et les magasins augmentent considérablement leurs prix, ce qui ne les empêche pas de refuser des clients. Les rues sont pavoisées de drapeaux, d'oriflammes et de guirlandes. Sur la place, proche de la gare de l'« Union Pacific », le service du tourisme est installé dans un chuck-wagon et prodigue aux visiteurs conseils et renseignements. Chaque matin, non loin de là, en plein air, on sert gratuitement, à qui se présente, un confortable breakfast et les amateurs, croyez-moi, sont nombreux. Les magasins d'équipements, d'accessoires, de

chemises et de costumes western font des affaires d'or et, dans les bars, vous vous en doutez, les clients se bousculent et rêvent en dégustant leur bourbon. Des trains spéciaux amènent, dès le premier jour, des centaines de curieux tous vêtus en cow-boys. Il y a certes de très nombreux « tenderfeet » (néophites) mais cela ajoute à la couleur locale.

UNE ARÈNE PLEINE A CRAQUER

L'arène est à deux miles de là. Imaginez un stade immense capable de contenir 40.000 spectateurs. Les tribunes sont bourrées et les retardataires ont de la peine à trouver une place. C'est, déjà là, un spectacle inoubliable. L'orchestre joue des airs western et sur l'immense piste centrale les juges, portant tous des chemises de soie aux couleurs voyantes, paradent; un tracteur passe et repasse nivelant le parcours tandis que le speaker signale au micro l'arrivée des personnalités. Celles-ci sont saluées par des exclamations bruyantes de la foule mais aussi par des sifflets, ce qui aux Etats-Unis est un témoignage de sympathie, - eh oui ! Dans les tribunes, bousculant les visiteurs, se faufilent les marchands de programmes et les vendeurs de hot-dogs et de popcorn. On examine avec soin les feuilles colorées, distribuées gratuitement, et donnant le détail de chaque compétition ; chacun suppute les chances de ses favoris.
Face à l'immense tribune, se trouvent les estrades réservées aux officiels, aux journalistes et au speaker qui commentera, comme à un match de boxe ou de catch, chaque épreuve. Sous ces gradins les contestants, c'est-à-dire les concurrents, se préparent, tandis que dans les couloirs et les boxes, les bêtes avec lesquelles ils vont se mesurer, piaffent d'impatience. Ces garçons sont venus de toutes parts. Il y a des cow-boys des ranches et aussi des Indiens qui ont quitté, pour un temps, leur réserve et qui sont des concurrents très sérieux. Ils sont assis sur le sol faisant les derniers préparatifs. L'un vérifie une dernière fois sa selle, un autre s'assure de la solidité des sangles, un troisième se fait masser le poignet par un camarade. Tous sont graves, car ils ont engagé leurs dollars, patiemment économisés, et comme il n'y a qu'un seul gagnant par épreuve, le meilleur doit vaincre.

UN PROGRAMME FORMIDABLE

Le programme de la matinée a été très chargé. Il y a eu, soit une cérémonie à la gare organisée par l'Union Pacific à l'occasion d'un train spécial; soit à l'aéroport, une sensationnelle exhibition des Thunderbirds, l'escadrille d'acrobatie numéro un des Etats-Unis, soit un festival de danses sioux à l'un des principaux carrefours de la ville, soit encore, si c'est samedi, le dernier jour, une fantastique parade qui parcourt toute la ville et qui dure plus de trois heures, une parade avec majorettes, cow-boys et cow-girls, avec Indiens revêtus de leurs plus beaux costumes perlés et coiffés de leurs bonnets de guerre aux plumes d'aigles, avec aussi, ne les oublions pas, les mountain-men, aux costumes de daim, coiffés de la toque de renard, chaussés de mocassins, comme au temps où ils parcouraient les pistes du Wyoming. Tout cela accompagné des accents de très nombreuses musiques venues des coins les plus reculés de l'Ouest, avec déploiement de drapeaux, de bannières et d'oriflammes. Le véritable spectacle, le rodéo, commence chaque après-midi, dès 13 heures 30. Mais les gradins ont été occupés depuis longtemps et à l'heure dite les compétitions commencent. Après la traditionnelle parade, le premier concurrent entre en piste sous les acclamations d'une foule enthou-

Un grand champion : Will Rogers, d'origine cherokee. Il fut journaliste, humoriste, artiste de cinéma et de variété et aussi un homme de cœur.

Lucille Mullhall fut la première femme à triompher dans les rodéos. La voici maniant le lasso au troisième Annual Round Up de Pendleton.

Chaque compétition commence et s'achève par une imposante parade à laquelle participent les organisateurs et tous les concurrents.

siaste, et cela durera pendant des heures, devant un public connaisseur et jamais rassasié.
Les épreuves nombreuses ont été minutieusement établies, elles sont suivies par des jurés qui ne laissent pas passer la moindre faute; le feraient-ils qu'ils seraient aussitôt houspillés par un public orfèvre en la matière.
Les épreuves sont généralement les suivantes :
Calf-ropping : Un jeune veau est lâché dans l'arène et lorsqu'il a atteint un certain point, un cow-boy à cheval fonce au galop derrière lui, en faisant tournoyer son lasso, au-dessus de sa tête. Sitôt la bête capturée, il saute à terre, renverse le veau et doit lui attacher au moins trois pattes, dans un délai maximum de 10 secondes. Le concurrent le plus rapide est déclaré vainqueur.

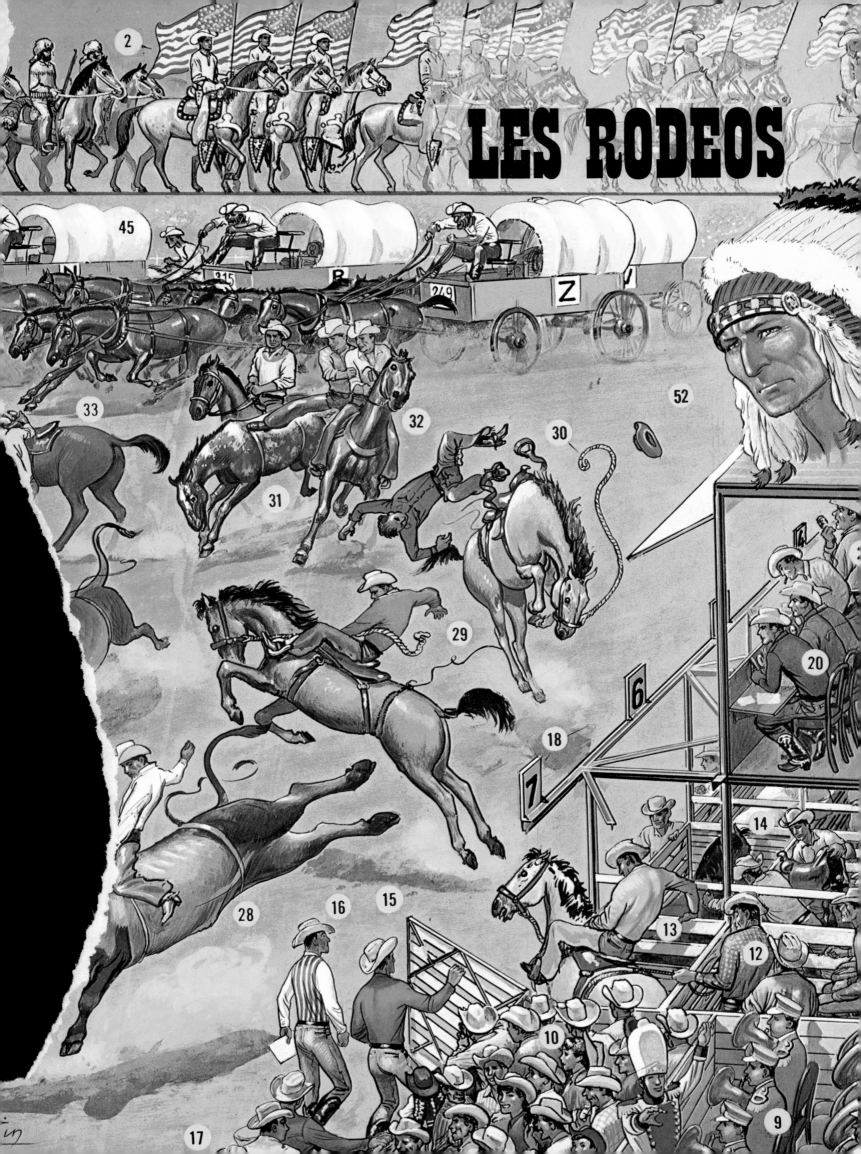

LES RODEOS

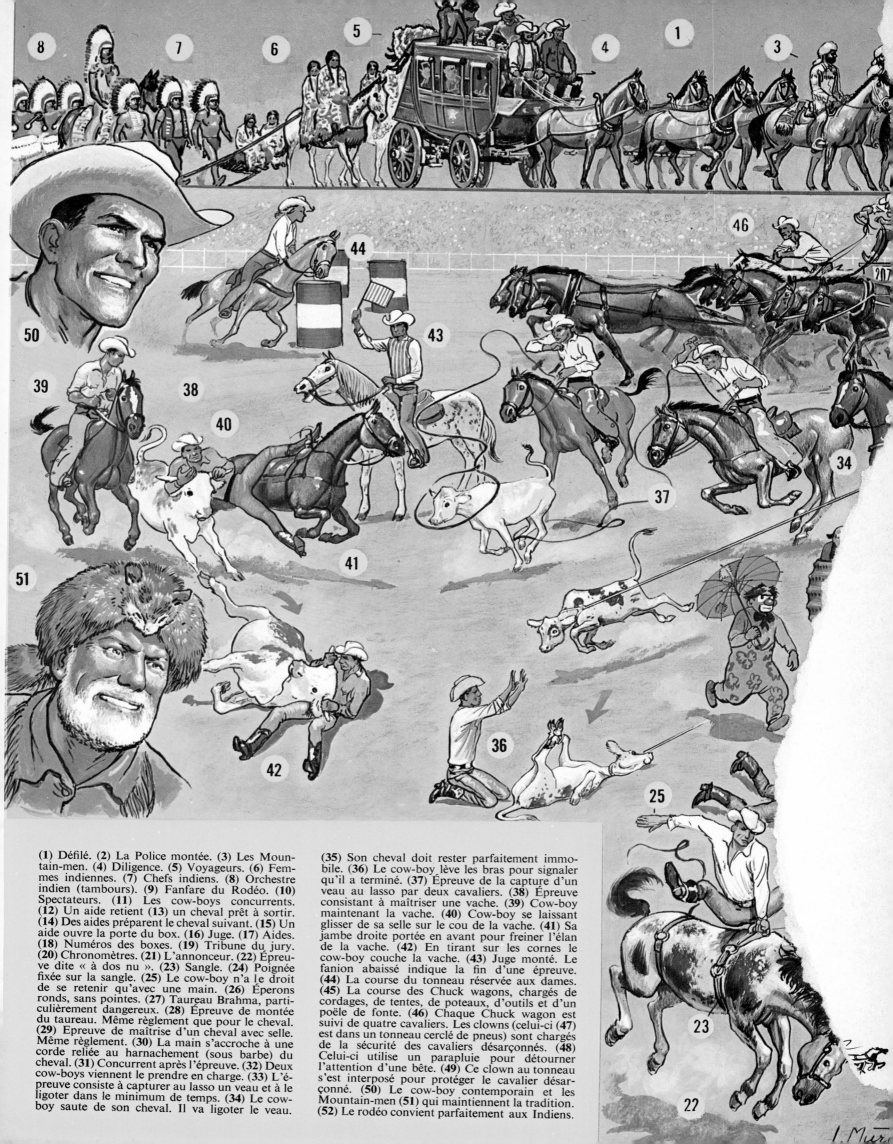

(1) Défilé. (2) La Police montée. (3) Les Mountain-men. (4) Diligence. (5) Voyageurs. (6) Femmes indiennes. (7) Chefs indiens. (8) Orchestre indien (tambours). (9) Fanfare du Rodéo. (10) Spectateurs. (11) Les cow-boys concurrents. (12) Un aide retient (13) un cheval prêt à sortir. (14) Des aides préparent le cheval suivant. (15) Un aide ouvre la porte du box. (16) Juge. (17) Aides. (18) Numéros des boxes. (19) Tribune du jury. (20) Chronomètres. (21) L'annonceur. (22) Épreuve dite « à dos nu ». (23) Sangle. (24) Poignée fixée sur la sangle. (25) Le cow-boy n'a le droit de se retenir qu'avec une main. (26) Éperons ronds, sans pointes. (27) Taureau Brahma, particulièrement dangereux. (28) Épreuve de montée du taureau. Même règlement que pour le cheval. (29) Epreuve de maîtrise d'un cheval avec selle. Même règlement. (30) La main s'accroche à une corde reliée au harnachement (sous barbe) du cheval. (31) Concurrent après l'épreuve. (32) Deux cow-boys viennent le prendre en charge. (33) L'épreuve consiste à capturer au lasso un veau et à le ligoter dans le minimum de temps. (34) Le cowboy saute de son cheval. Il va ligoter le veau.

(35) Son cheval doit rester parfaitement immobile. (36) Le cow-boy lève les bras pour signaler qu'il a terminé. (37) Épreuve de la capture d'un veau au lasso par deux cavaliers. (38) Épreuve consistant à maîtriser une vache. (39) Cow-boy maintenant la vache. (40) Cow-boy se laissant glisser de sa selle sur le cou de la vache. (41) Sa jambe droite portée en avant pour freiner l'élan de la vache. (42) En tirant sur les cornes le cow-boy couche la vache. (43) Juge monté. Le fanion abaissé indique la fin d'une épreuve. (44) La course du tonneau réservée aux dames. (45) La course des Chuck wagons, chargés de cordages, de tentes, de poteaux, d'outils et d'un poële de fonte. (46) Chaque Chuck wagon est suivi de quatre cavaliers. Les clowns (celui-ci (47) est dans un tonneau cerclé de pneus) sont chargés de la sécurité des cavaliers désarçonnés. (48) Celui-ci utilise un parapluie pour détourner l'attention d'une bête. (49) Ce clown au tonneau s'est interposé pour protéger le cavalier désarçonné. (50) Le cow-boy contemporain et les Mountain-men (51) qui maintiennent la tradition. (52) Le rodéo convient parfaitement aux Indiens.

Saddle Bronk Riding : Un cheval sauvage sellé et monté par un cavalier fonce dans l'arène en bondissant, il cherche à se débarrasser de l'importun qui l'enfourche. L'homme ne peut tenir les rênes que d'une seule main et ses talons doivent demeurer contre les flancs de la monture, cela pendant au moins dix secondes. C'est très difficile, croyez-moi. Si le cavalier se sert de sa seconde main, il est aussitôt disqualifié. De même s'il écarte trop les jambes. Celui qui observe le mieux ces règles est déclaré vainqueur. C'est là une compétition passionnante, car on assiste non seulement aux efforts de l'homme pour rester en selle, mais aussi à ceux du broncho pour se débarrasser de l'intrus.

Bareback Bronk Riding : C'est la même épreuve, mais sans selle, ce qui accroît, non seulement les difficultés, mais aussi les risques. Le cavalier doit demeurer au moins huit secondes en place, en utilisant de son mieux ses éperons, ce qui est très difficile. L'hostilité du cheval entre, elle aussi, en ligne de compte dans la cotation de l'épreuve.

Brahma Bull Riding : C'est toujours la même épreuve, mais avec un taureau brahma, ce qui est encore plus dangereux. Il faut rester, au moins, huit secondes sur l'animal qui se débat avec fougue. Lorsque le concurrent est à terre, il est assailli par le brahma bull qui s'acharne contre lui. Alors interviennent les autres cow-boys et les clowns qui s'efforceront d'attirer son attention ailleurs.

Bull Dogging : Un taureau fonce dans l'arène. Il est pris en chasse par un cavalier qui tente de le rattraper. L'homme vide alors ses étriers, quitte sa selle, saisit l'animal par les cornes et tente de le plaquer au sol et de l'immobiliser. Cela, bien entendu, dans le délai le plus bref.

Barrel Race : Cette épreuve est, généralement, réservée aux cow-girls, qui font montre, dans les rodéos, d'autant d'adresse et de maîtrise que les hommes. Des barrils de différentes couleurs sont placés sur le tracé de la course. Il s'agit de les contourner, sans les renverser et faire le parcours dans le temps le plus bref.

Wild Cow Milking Contest : C'est une compétition qui inévitablement provoque l'hilarité dans l'assistance. Plusieurs vaches laitières sont lâchées dans l'arène. Des équipes de deux hommes doivent capturer une vache très farouche et la traire, ce qui n'est pas chose facile, les bêtes ne tenant pas en place. Celui qui apporte aux juges la bouteille la plus pleine, dans le délai imparti, est déclaré vainqueur.

Il y a d'autres épreuves telles que le **Trock Riding** qui est un concours de voltige au galop et le **Horseback Roping**, qui n'est autre qu'un exercice au lasso à cheval.

Au cours de cette énumération, nous avons parlé à un certain moment, des clowns. Ils constituent un élément capital dans un rodéo. Avec leurs grimaces et leurs pitreries, ils

Caracoler sur un bison, animal particulièrement vindicatif, est une attraction de choix, qui émerveille toujours les habitués des rodéos.

La Belle et la Bête : C'est là, un spectacle de choix que ne manque pas de vous offrir, à chaque fois, l'immense parade qui bouleverse la ville.

divertissent les gamins de l'assistance, mais ils sont là surtout pour parer aux mille difficultés qui peuvent, brusquement, surgir. Ils sont là pour détourner l'attention de la bête afin d'éviter qu'elle ne s'acharne contre le concurrent à terre. Ces clowns ne sont pas les moins habiles concurrents.

UNE COURSE FANTASTIQUE

Les grands rodéos comme les Stampèdes de Cheyenne s'achèvent tard dans la nuit, après l'épreuve fantastique de la course des **Chuck wagons**. Imaginez quatre chariots bâchés prenant place au milieu de la piste. Le conducteur est sur son siège, les assistants à terre prêts à charger le chariot et à enfourcher leurs chevaux. Un coup de feu, c'est le signal. Les chariots démarrent dans un nuage de poussière et foncent sur la piste. Ils font un seul tour, soulevant dans l'assistance mille imprécations. Les voilà qui débouchent au dernier tournant. Le vainqueur, sous les acclamations d'une foule en délire, franchit la ligne d'arrivée. C'est formidable. Ce spectacle, qui constitue un programme spécial, est accompagné d'attractions diverses, des chanteurs en renom, des vedettes western de la télévision. Vers 23 heures le public, ravi, regagne les hôtels de la ville à moins que nullement rassasié, il ne se disperse dans l'immense parc d'attractions qui s'est installé aux abords de l'arène.

Ce que j'ai vu à Cheyenne, à Salinas, à Calgary, se répète des centaines de fois au travers des Etats-Unis et dans l'ouest du Canada. Chaque jour de l'année sur tout le continent, dans une modeste localité comme dans une ville enfièvrée, une compétition se dispute. Devant des spectateurs enthousiastes et joyeux, les garçons s'affrontent dans un véritable esprit sportif, chacun ayant bien sûr le désir de vaincre. Grâce à la magie des Rodéos, l'ancien Ouest demeure vivant, dans le cœur des vrais Westerners.

Tombstone a su conserver son aspect d'autrefois, du temps de la tragique rencontre d'OK Corral. On s'attend à y rencontrer Ike Clanton et Wyatt Earp.

LE FAR-WEST D'AUJOURD'HUI

Les années ont passé.

Il y a plus de 150 ans, Lewis et Clark quittaient Saint Louis pour entreprendre leur téméraire randonnée.

Il y a plus d'un siècle, on inaugurait le chemin de fer transcontinental reliant l'Atlantique au Pacifique.

L'Ouest, dès lors, était ouvert à la Civilisation.

L'Aventure avait peu à peu cédé la place. Les distances n'ayant désormais aucune importance, des villes nouvelles surgirent, prospérèrent et se développèrent. Des terres jusqu'alors incultes furent mises en valeur et des travaux gigantesques entrepris.

L'ancien Far West, haut en couleurs, plein de mystère et

de pittoresque s'est estompé peu à peu, laissant la place à un autre, plus moderne, c'est-à-dire au Progrès.

Est-ce à dire que là-bas, dans les vastes plaines de l'Arizona, dans les canyons du Nouveau Mexique, dans les forêts du Montana et dans les riantes vallées de Californie, le passé est mort ?

Non, il est là, coudoyant le présent et parfois même l'avenir.

L'Ouest, ce fut d'abord une Fantastique Épopée, une formidable aventure, dont vous avez retrouvé ici la plupart de ses épisodes et aussi de ses héros, qu'ils fussent Peaux Rouges ou Visages Pâles, du côté de la loi ou de l'autre.

Tous ont forgé un fantastique pays, un pays où le merveil-

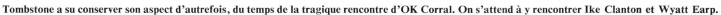

Tout en demeurant fidèles au cheval, les gars de l'Ouest utilisent l'auto.

Voici à Monument valley, les voyageurs solitaires et leurs mules.

N° 21

Grâce aux Mormons, Salt Lake city est devenue une capitale prospère.

Travail de nuit et à la machine, dans une entreprise de l'Oklahoma.

leux existe encore. Il est là au carrefour de la route, après plusieurs miles et parfois même, seulement au coin de la rue, en pleine ville.

Prenez le car à Prescott et descendez du côté de Denver. Brusquement vous êtes transporté à près de 3.000 mètres d'altitude et en pleine montagne, on vous offre, tel un Cinérama, un désert immense, qui s'étend jusqu'à l'horizon.

Lorsque ce même car — le meilleur moyen de découvrir l'Ouest — vous offre Monument valley, avec sa plaine de sable rouge, c'est fantastique.

Et Tombstone, où, bien sûr, on a commercialisé la rencontre de OK. Corral, mais c'est encore fantastique.

Et Jérome, ville fantôme, qu'il faut visiter au crépuscule, dans un impressionnant silence, c'est toujours fantastique!

Oui bien sûr, il y a les villes avec leurs drugstores, leurs supermarkets, les stations service avec les tubes de néon; il y a les cinémas en plein air, drive-in où brusquement, en pleine nuit vous voyez surgir devant vous, démesurément agrandis, Laurel et Hardy ou Bonnie and Clyde. Il y a les "dude" ranches où l'on débite du Far West pour touristes. Il y a Las Vegas avec ses tapis verts et ses appareils à sous.

Mais il y a encore le Far West du passé, celui des grands espaces, des ranches où des troupeaux de plusieurs milliers de bêtes paissent surveillées par quelques cow-boys, qui ressemblent étrangement aux "cowpunchers" d'autrefois.

Il y a toujours le Grand Canyon, toujours aussi impressionnant; les parcs nationaux dans lesquels bêtes et plantes ont trouvé la quiétude et le repos; le Mississipi qui continue, comme si rien n'était changé, à rouler vers la Nouvelle Orléans.

Oubliez les villes industrieuses.

Ouvrez votre fenêtre. Elle donne sur une plaine silencieuse qui, bientôt, se peuplera d'ombres. Soyez attentif et bientôt vous verrez apparaître Daniel Boone, Jim Bridger, Davy Crokett, le général Custer, les gars de la Central Pacific et de l'Union Pacific, ceux du Pony Express et de la Wells Fargo, entraînés par Buffalo Bill. Mais vous verrez aussi tous les grands chefs indiens, Sitting Bull, Crazy Horse, Rain in the Face, Chef Joseph, Red Cloud, Géronimo et Cochise.

Vous entendrez battre les tambours de guerre et sonner les "buggles" du 7ème de Cavalry.

L'Ouest n'est pas mort. Il revit derrière chaque colline.

Dernière image du Far West moderne : un hélicoptère faisant le travail de plusieurs garçons à cheval, surveille à lui seul un immense troupeaux.